Leseexemplar
für Buchhandel und Presse

Erscheinungsmonat: August 1997
Bitte besprechen Sie dieses Buch
nicht vor dem 7. 8. 1997.

Die Ausstattung des Leseexemplars
entspricht nicht der der Auflage.

Thienemann

Stuttgart, im Mai 1997

Liebe Kolleginnen und Kollegen
im Sortiment und bei der Presse,

unsere Freude war groß, als Achim Bröger uns ankündigte nach *Ich mag dich* und *Hand in Hand* endlich wieder einen Jugendroman für unser Programm zu schreiben.

Wie oft gleiten Liebesromane in unerträglichen Kitsch ab. Wie oft wird es allzu peinlich, wenn Sexualität offen zur Sprache kommen soll. Nichts dergleichen in Achim Brögers *Wahnsinnsgefühl*, einem zeitgemäßen Jugendroman mit literarischem Anspruch, der hervorragend in unsere Broschuren-Reihe passt.

Teilen Sie dem Autor und uns doch bitte mit, wie Ihnen dieses Buch gefällt. Wir sind gespannt auf Ihre Meinung.

Wir wünschen Ihnen
ein prickelndes Leseerlebnis

Hansjörg Weitbrecht

LESEEXEMPLAR

Liebe Buchhändlerin, lieber Buchhändler,

wir hoffen, dass Sie dieses Leseexemplar interessiert. Geben Sie es bitte nach der Lektüre auch an Ihre Kolleginnen und Kollegen weiter.

Gelesen	Kurzurteil

1

Von welchem Bahnsteig fährt mein Zug eigentlich? Bahnsteig 8, 11 Uhr 32, lese ich auf dem Fahrplan in der Bahnhofsvorhalle. Also habe ich noch siebzehn Minuten Zeit.

Jede Menge Gepäck schleppender Leute bewegen sich durch die Halle. Na ja, eigentlich werden sie ziemlich automatisch vom Ferienbeginn bewegt, der gestern war. Sie müssen halt alle wegfahren. Unbedingt. Wahrscheinlich ist das eine kollektive Zwangshandlung, die wie eine Massenflucht wirkt, und ich flüchte mit. Dabei weiß ich eigentlich gar nicht, ob ich das wirklich will. Aber was soll ich sonst in diesen Ferienwochen tun? Mit meinem Vater zu Hause bleiben? Das wäre die Alternative. Nee, keine Lust. Also fahre ich halt zu Onkel und Tante nach Oldenburg, obwohl ich dazu im Augenblick auch keine große Lust habe. Bin sowieso insgesamt ziemlich lustlos.

Na ja, immerhin ist es von Onkel und Tante nicht mehr sehr weit bis zum Meer. Vielleicht knalle ich mich dort mal auf den Strand und lasse mich vom zuständigen Himmelskörper bescheinen. Mal sehen.

Der Ferienwuselhaufen im Bahnhof hat den Grauschleier

über meinem Innenleben noch dichter werden lassen. Wenn ich es genau betrachte, ist nichts Erfreuliches in Aussicht. Mist. Ich hänge hier rum, die Lichter in mir ausgeknipst, alles dunkel und öde. Ach ja, das kenne ich.

Ich gucke über die vielen Urlaubsmenschen und sehe sie eigentlich kaum. Auch das kenne ich. Es ist, als wäre ich gar nicht richtig vorhanden. Ich erlebe das mit den Leuten in der Schule, zu Hause, überall. Bin unbeteiligt an mir und allen.

Das muss anders werden. Aber wie schaffe ich das? Ein guter Beginn dafür wäre ja, wenn dieses Aufzeichnungsgerät in mir, meine Wahrnehmung, anders eingestellt würde. Die nimmt brav alles auf, deckt dann aber sofort den tristen Grauschleier darüber, und weil das wohl noch nicht reicht, sondert immer wieder mal eine unfreundliche Stimme in mir bescheuerte Kommentare dazu ab. Manchmal gibt es auch noch eine freundlichere Gegenstimme, die widerspricht der ersten. Diese Stimmen sind so was wie Wächter in mir. Lästig sind die. Im Moment sagt die Gegenstimme: ›Tu nicht so wehleidig, du Arsch.‹

Darüber muss ich plötzlich grinsen. Das vergeht mir aber sofort, als mich eine sehr eilige männliche Urlaubsfigur ziemlich aggressiv vom Fahrplan wegschubst.

Klar, ich bin nicht durchsichtig. Aber der Mann hätte ja auch sagen können, dass ich mal zur Seite gehen soll. Vielleicht ist er stumm?

Nein, das ist er nicht, denn er bellt einer Frau hinter sich zu: »11 Uhr 28!«

Dann schiebt er mich wieder beiseite und schleppt hastig irgendwelche Koffer zu irgendeinem Zug und die Frau dackelt mit zwei Taschen hinter ihm her.

Oh, sind die alle scharf darauf, dass sie pünktlich und schnell von hier wegkommen, wo sie eigentlich zu Hause sind. Panik ist das, Flucht. Aber wovor fliehen die?

Dreizehn Minuten noch, dann fährt mein Zug. Gleich muss ich mich also durch das Gewusel und Geschiebe der Zwangsurlauber drängeln. Sehr unangenehm.

Oder bleibe ich innerlich und äußerlich starr hier stehen? Wachse im Beton fest als Denkmal eines Menschen, der nicht weiß, will er wegfahren oder lässt er's?

Vielleicht sollte ich besser auf meinen Rucksack Acht geben, der neben mir steht. ›Warum eigentlich?‹, fragt die erste Stimme in mir. ›Wenn ihn jemand klaut, ist deine Fahrkarte weg und du bleibst hier. Auch in Ordnung.‹ Aber es klaut ihn keiner.

Also, Junge, hole Luft, schiebe dich durch die geballte Leuteansammlung und rein in den Zug. Noch ein schneller Rundblick, wo die Chancen am besten sind, nicht rumgestoßen und -geschubst zu werden, und dann los.

Was ist denn das? Blöde Frage. Natürlich ein Mädchen, sehe ich deutlich. Und die kenne ich von irgendwoher. Mal durchchecken ... Aus der Schule? Von einer Fete?

Ich glaube, ich kenne sie aus der Schule. Wir sind ja nur gut tausend Leute, aber irgendwie habe ich sie mir gemerkt. Sie ist in meinem Gedächtnisraster hängen geblieben und gespeichert worden.

So mittelgroß und mit braunen Haaren steht sie rum und strahlt in die Bahnhofshalle. Wie kommt das? Was hat die für ein freudiges Innenleben? Ist ja irre, zum Neidischwerden. Sie freut sich wohl auf ihre Reise.

Ich gehe ein paar Schritte näher zu ihr, stehe da und gucke mir das Mädchen genauer an. Wahrscheinlich starre ich sie sogar an.

Stimmt schon: Mittelgroß ist sie, aber alles andere an ihr wirkt nicht mittel. Mensch, so was Schönes. ›Na ja, jedenfalls von hier aus gesehen‹, warnt der eine Wächter in mir. Und er redet weiter: ›Eigentlich ist das nichts Besonderes. Ein lächelndes, strahlendes Mädchen eben, ungefähr so alt wie du, mitten in der Bahnhofshalle und in der Leuteansammlung.‹

›Sie ist viel mehr‹, widerspricht die andere Stimme. ›Eine Augeninsel. Ein Augenblick zum Festhalten.‹

›Vorsicht!‹, mahnt die Nörgelstimme. ›Wenn du das Lächelnde, Strahlende abziehst, bleibt ein braunhaariges, mittelgroßes, ziemlich normales Mädchen übrig. Verpackt in blauen Shorts, blauem T-Shirt und ausgestattet mit Lederrucksack. Das wär's.‹

Nein, da kommt noch etwas dazu, sehe ich, als sie sich etwas zur Seite dreht. Sie hat ihre Haare hinten zu einem Minipferdeschwanz zusammengebunden.

›Lass dich nicht irritieren!‹, verlangt die zweite, freundlichere Stimme in mir. ›Das Mädchen gefällt dir einfach, und zwar sehr.‹

Kenne ich sie wirklich aus der Schule? Ich starte eine blitzschnelle Rasterfahndung in mir, gebe alle sichtbaren und vermuteten Daten der Frau ein. Mein innerer Computer ist ziemlich begeistert, ein ungewöhnlicher Zustand für ihn. Aber das Ergebnis der Rasterfahndung … null. Na ja, auch egal.

Ein Junge geht zu dem Mädchen. Er gibt ihr eine Zeitung und sie sagt etwas. Dann antwortet er. Ich höre die beiden nicht, sehe sie nur. Die Szene läuft ab wie ein Stummfilm. Schließlich nimmt der Junge das Mädchen schnell in den Arm und will gehen. Als er sich halb weggedreht hat, schlägt sie ihm auf die Schulter. Das war ein leichter Abschied für sie. Sie strahlt nämlich immer noch, obwohl der Knabe jetzt abzieht.

Oh, da starrt ein Alter das Mädchen aus einiger Entfernung an. Der ist ungefähr so alt wie mein Vater. Jetzt merkt er, ich sehe, dass er starrt, und guckt weg. Also, wenn die hier jemand anstarrt, bin ich das. Klar, Alter?!

So … ich muss gehen, in zehn Minuten fährt mein Zug. Ich greife wieder nach dem Rucksack, der immer noch nicht geklaut worden ist. Eigentlich schade. Dann schicke ich einen Abschiedsblick zur Augeninsel rüber, zu dem Mädchen.

Aber was macht die? Sie schiebt ihre Unterlippe vor, gleichzeitig nach oben und links. Ihre Oberlippe zieht sie etwas zurück. Dann pustet sie nach oben und vorbei an ihrer Nase.

Das sieht toll aus und irgendwie … witzig. So pustet sie sich eine Strähne aus der Stirn, die fällt aber sofort wieder zurück und sie pustet noch mal.

Ich versuche das auch. Wie war das? Unterlippe vor und gleichzeitig nach oben. Oberlippe zurückziehen und nach oben pusten.

So was Blödes. Ich puste mir voll in die Nasenlöcher. Das war irgendwie falsch, also versuche ich es noch mal. Unterlippe vor und gleichzeitig nach oben. Hier war der Fehler. Die Unterlippe muss auch nach links oder rechts geschoben werden. Oberlippe zurückziehen und an der Nase vorbeipusten.

Ja, so war's in Ordnung. Nur meine Haare fliegen nicht wie ihre, weil sie weniger in die Stirn hängen.

Der alte Knacker hat uns beobachtet. Er versucht es auch mit dem Pusten und verdammt … er kann es. Aber bei ihm bringt es nichts. Kein Haar fliegt zur Seite, weil er eine Stirnglatze hat. Ich grinse zu ihm rüber und er grinst zurück, dann geht er. Tschüs, Alter.

Ob sie merkt, dass ich andauernd zu ihr gucke? Ja, sie hat es gemerkt, denn sie lächelt zu mir rüber und pustet noch mal.

Dann nimmt sie ihren Rucksack und geht, ist ein paar Sekunden später einfach zwischen den Leuten verschwunden und abgetaucht, mit ihrem Lächeln, dem Strahlen und allem. Schade. Tschüs, Mädchen.

Eben merke ich, dass sie den Grauschleier in mir weggeschoben hat. Ich bin wirklich mal aus meiner verdammten trüben Wolke aufgetaucht. Stehe nicht mehr nur unzufrieden, nölig und starr herum.

›Bist ja plötzlich ziemlich happy‹, sagt die zweite Stimme in mir. Das ist die, die mehr für Freundlichkeiten zuständig ist. Und die hatte in letzter Zeit fast immer Sendepause.

Ach, solche schönen Augenblicke könnte ich eigentlich sammeln. Das nehme ich mir mal einfach vor. Ist doch 'ne Idee. Irgendeinen guten Vorsatz sollte man für die Ferien ja vielleicht haben. Mal sehen, ob ich noch mehr solche Augenblicke finde. Ich könnte sie zur Zeit wirklich gebrauchen, die wären ein prima Kontrastprogramm zur reichhaltigen Sammlung trüber und trauriger Augenblicke in mir.

Ich muss gehen, sonst verpasse ich den Zug. Nur noch fünf Minuten, dann fährt er ... auch ohne mich. Ich schwinge also meinen Rucksack über die Schulter, gehe los und wühle mich durch die Urlaubsmassen Richtung Bahnsteig 8. Irgendeine Frau tritt auf meinen linken Fuß und ich knurre sie an: »Schönen Urlaub auch!«

2

Keiner nennt ihn Johannes. Den Namen hatte er immer als Geschmacksverirrung seiner Eltern empfunden. Fast heilig klingt das ... Johannes. Und welches Kind will schon mit einem Heiligen spielen und Quatsch machen? Später, als Johannes kein Kind mehr war, wurde dieser Name auch nicht besser.

Da wird man geboren und bekommt so einen Namen wie einen unpassenden Stempel aufgeknallt. Dieser Name war ein erstes, gründlich missglücktes Geschenk der Eltern an ihn gewesen, und zwar eines ohne offizielle Umtauschmöglichkeit.

Zum Glück mochten andere seinen Namen auch nicht. Deswegen hatten sie ihn einfach umbenannt, in Jo, Hannes und Jos. Im Laufe der Zeit fielen Hannes und Jo weg, Jos blieb übrig.

So heißt er und er geht nun, seinen drei viertel vollen Lederrucksack über eine Schulter gehängt, durch die Bahnhofsvorhalle. Den Kopf mit den kurzen Haaren ein wenig gesenkt, als würde er niemanden sehen wollen.

Seit knapp zwei Jahren begleitet ihn ständig der gleiche Satz, und der heißt: Jos hat sich sehr verändert. Nach einer kurzen Pause kommt manchmal noch hinterher: Ist ja eigentlich auch kein Wunder.

Äußerlich fing die Veränderung mit seinen Haaren an. Die Eltern und die Verwandtschaft hatten seine langen Haare früher ja nie gemocht. Das interessierte ihn aber absolut nicht, ging völlig an ihm vorbei. Und ganz sicher, wegen der Sprüche seiner Eltern und Verwandtschaft wäre er bestimmt nicht zum Friseur gegangen.

»So kurz«, sagte er zum Friseur und die Spanne zwischen Daumen und Zeigefinger zeigte nur ein paar Millimeter. Der Friseur hatte genickt und gesagt: »So lang wie Sie trägt die Haare heute sowieso kein Mensch mehr.«

Beinahe hätte Jos in dem Augenblick noch gesagt: Vergessen Sie's. Die Haare bleiben, wie sie sind. Aber er sagte dann doch nichts und etwas später lagen seine langen Haare auf dem Boden des Friseurladens.

Als er mit millimeterkurzen Stoppeln zurückkam, hatte das auch niemandem gefallen. Er übertreibt zur Zeit alles, hatte es geheißen. Aber darüber kann man nicht mit ihm reden. Ach, der lässt überhaupt nicht mehr mit sich reden. An Jos kommt man einfach nicht ran. Früher, das ist noch gar nicht so lange her, da war er völlig anders, nett und freundlich.

Alle hatten diese Veränderungen an ihm bemerkt und die waren wirklich nicht nur äußerlich. Auffallend war besonders: Jos ließ nicht nur nicht mit sich reden, er redete auch kaum noch, und das galt für Freizeit und Schule. Im Unterricht meldete er sich einfach nicht mehr. Wie unbeteiligt saß er in der Klasse. Fragte ihn aber ein Lehrer etwas, bekam er eine kurze und genaue Antwort, die zeigte, dass Jos trotz des starren Dasitzens alles aufnahm.

Wenn sich seine Freunde und Freundinnen trafen, blieb er oft zu Hause, verschwand in seinem Zimmer und hörte Musik, verschwand auch in der. Sie dachten: Der gehört nicht mehr richtig zu uns. Und sie riefen ihn seltener an und trafen sich seltener mit ihm.

Verabredungen mit Jos hatten eigentlich auch wenig Sinn. Er sagte immer wieder, dass er kommen würde. Trotzdem kam er oft nicht und erklärte später nur: »Hab irgendwie keine Lust gehabt.«

Zu Hause schwieg er seinen Vater an. Stellte der ihm eine Frage, antwortete Jos meistens mit: »Hm«, »Ja«, »Nein«, »Keine Ahnung« oder »Lass mich bitte in Ruhe«.

Viele dachten: Jos lebt nur noch in sich selbst. Aber wie er da lebt und was er da erlebt ... keine Ahnung. Ein seltsamer Kerl. Hoffentlich ist das nur eine Phase.

Bestimmt keine Phase war seine Beziehung zur Kleidung. Schon wenn er als Kind irgendwo aufgetaucht war, hatte garantiert jemand gemurmelt: »Oh ... wie der rumläuft!«

Kleidung war ihm gleichgültig geblieben. Er trug keine bestimmten Marken, nie etwas Modisches. Eine Ausnahme gab es: seinen Lederrucksack, den ihm seine Mutter vor ungefähr zwei Jahren geschenkt hatte. Einfach so und ohne Anlass. Sie hatte den Rucksack aus der Stadt mitgebracht und gefragt: »Magst du ihn?« Jos hatte genickt, ihn genommen und seit der Zeit hatte er ihn fast immer bei sich, wie eben am Bahnhof.

Jos geht die Stufen zum Bahnsteig 8 hoch. Von hier fahren die Züge Richtung Hannover und seiner wartet schon. In den Wagen der zweiten Klasse sind alle Sitzplätze belegt und auch sonst gibt es hier kaum noch freie Plätze. Deswegen drängt sich Jos weiter in die Wagen erster Klasse und dort, im Gang vor den Abteilen, gibt es Platz. Gleich an der Tür kann er in Ruhe stehen. Aber da steht schon jemand, und zwar das Mädchen aus der Bahnhofsvorhalle, das sich die Haare aus der Stirn gepustet hat. Plötzlich steht Jos neben ihr und er sagt:

3

Nichts sage ich, obwohl ich eigentlich etwas sagen möchte. Aber irgendwie hat das Mädchen den Blitz in mein Sprachzentrum einschlagen lassen und mich sprachlos gemacht. Die Sendeanlagen sind schwer gestört und die Verbindungen unterbrochen.

Verdammt! Ich fühle mich blödsinnig verlegen und unsicher. Sonst will ich ja meistens nichts sagen. Jetzt möchte ich und kann nicht, das ist Verbalimpotenz.

Sie steht an der Wagentür und lehnt mit dem Rücken am Abteilfenster, hinter dem Leute sitzen. Ich lehne so eineinhalb Meter neben ihr am Abteilfenster und habe mich etwas zu ihr gedreht. Trotzdem sieht es aus, als würde ich eigentlich durch das Zugfenster in die Landschaft gucken. Aber dahin gucke ich garantiert nicht.

Meine Augen erzählen meinem Körper: Die ist toll. Und der Körper spürt das. Rauf und runter und rundum. Diese Botschaft der Augen rast durch mich, hat mich total gepackt.

Ich will mich kurz ablenken und drehe mich zu den Leuten im Abteil. Die drei, die in Fahrtrichtung sitzen, starren mich an und ich drehe mich schnell weg. Jetzt können sie meinen Rücken anstarren, diese erstklassigen Leute.

Oh, schon sehe ich das Mädchen wieder. Mein Blick kann ihr einfach nicht ausweichen. Guckt die so halb mich an und halb die Landschaft?

Was sage ich zu ihr? Ich muss doch was sagen. Mir fällt aber nur ein: Mensch ... du gefällst mir. Aber das kann ich nicht sagen.

Warum denn nicht? Nee, das geht einfach nicht. Ich kenne

sie ja gar nicht, obwohl ich mir einbilde, dass ich sie schon mal gesehen habe. Vielleicht könnte ich so anfangen: Irgendwann hab ich dich schon mal gesehen. Nein, das klingt nach blöder Anmache.

Ich hasse diese Verlegenheit, dieses Chaos im Kopf. Möchte plötzlich flüchten, nichts mit diesen überschwappenden, umwerfenden Gefühlen zu tun haben, möchte nur in Ruhe mit dem Zug fahren.

Möchte ich das wirklich? Hm, ich weiß nicht.

In der Bahnhofsvorhalle stand das Mädchen ziemlich weit von mir entfernt. Da konnte ich sie einigermaßen ruhig angucken. Jetzt macht mich die Nähe unruhig, kribbelig, unsicher.

Da kommt jemand mit Koffer den schmalen Gang runter. Er drängt sich an mir vorbei und ich weiche ihm ein Stück aus. Danach stehe ich noch näher bei dem Mädchen.

Sie hält dem Koffermann die Tür auf. Mensch, Mädchen, geh bitte nicht hinter ihm her. Bleib hier. Natürlich denke ich das nur und sage immer noch nichts.

Ja, sie ist hier geblieben, hat sich sogar etwas mehr zu mir gewandt. Tut sie das absichtlich? Jedenfalls sehe ich jetzt ihr Gesicht genauer. Der Pferdeschwanz fällt mir wieder auf. Eigentlich ist das noch gar keiner, ist bisher mehr ein Startschuss dazu. Ein kurzes Haarbüschel an ihrem Hinterkopf, von einem roten Band zusammengehalten.

Ich kann sie doch nicht die ganze Zeit so intensiv angucken, das stört sie wahrscheinlich. Und gucken mir die Leute aus dem Abteil dabei grinsend zu? Aber ich muss sie angucken. Will sie genau sehen, egal, ob die Leute grinsen.

Das Mädchen strahlt nicht mehr so wie vorhin, lächelt aber immer noch und freut sich über irgendwas.

Eben merke ich, der Zug fährt schon die ganze Zeit. Ich war

so beschäftigt, dass ich das gar nicht gespürt habe. Mensch, Junge, guck in die Landschaft draußen, die ist auch ganz nett, und dahin zu gucken, kommt dir weniger kompliziert vor. Das wirbelt die Hormone nicht so durcheinander und lässt dich in Ruhe. Reden musst du mit der Landschaft auch nicht.

Ich habe mich noch etwas mehr zu ihr gedreht, nicht zur Landschaft, zu dem Mädchen natürlich. Sie hat eine kleine Narbe neben ihrer schmalen, etwas gebogenen Nase. Ihr Gesicht ist ziemlich braun.

Mir fällt auf, dass ich zu ihr runtersehe. Na ja, das klingt, als wäre ich der Berg und sie das Tal. In Wirklichkeit beträgt der Unterschied vielleicht mal gerade zehn Zentimeter.

Damit sie mein Gestarre nicht zu sehr nervt, verkleide ich es mit einem Lächeln, verstecke es dahinter. Jedenfalls probiere ich das.

Sie guckt mir einen Moment in die Augen und ich gucke in ihre. Das ist fast wie eine Berührung. Braun sind ihre Augen, groß und lebendig. Sie stehen ein winziges Stück schräg, ähnlich wie bei asiatischen Frauen, nur nicht so deutlich.

Mensch, hat die ein Gesicht, da passt alles zueinander und sieht … ja … freundlich, klar und schön aus. Und jetzt wächst in ihrem Gesicht so ein kleines Strahlen. Dazu zieht sie ihre Mundwinkel etwas hoch.

He … grinst die über mich? Findet sie mich komisch? Ich weiß nicht und das macht mich wieder genauso verlegen und unsicher wie vorher. Also schnell wegdrehen! Zufällig gucke ich dabei zu ihrem Rucksack und merke, der sieht fast aus wie meiner. Übrigens ist mir immer noch nicht eingefallen, woher ich das Mädchen kenne.

Eben rattert der Zug etwas und ich drehe mich wieder zu ihr. Mensch, die hat mich schon in der Bahnhofsvorhalle aufgeregt.

Ich muss sie einfach ansehen! Das ist verrückt. Wenn ich sie ansehe, überschwemmt mich ein begeisterndes, zärtliches Gefühl. Wie eine Welle kommt das. Aber die Welle schaltet auch mein Hirn aus, macht mich stumm. Mein Fühlen ist so deutlich, eigentlich passt das Schweigen absolut nicht dazu.

Wahrscheinlich steigt das Mädchen bald aus und ich stehe da und habe kein Wort gesagt. Oder sie geht einfach weg, einen Wagen weiter. Probiere ich es doch mit dem Satz: Irgendwoher kenn ich dich, weiß nur nicht woher. Nee, das klingt zu blöde.

Wenn ich nicht bald rede, ist es sowieso zu spät, weil ich es dann einfach aufgebe. Das kenne ich. Und warum warte ich eigentlich, ob sie geht? Ich gehe! Denn ich halte das nicht aus, dieses Wollen-und-nicht-Können. Ich flüchte einfach in den nächsten Wagen.

Ja, genau das tue ich. Ich bücke mich, nehme meinen Rucksack und gehe Richtung Wagentür, auf das Mädchen zu. Dabei gucke ich so halb an ihr vorbei. Schon bin ich neben ihr und strecke meine Hand zum Türgriff aus. Plötzlich höre ich: »Ich weiß die ganze Zeit, dass wir uns von irgendwoher kennen.«

Ich bleibe stehen, steig sozusagen voll auf die Bremse. Gleichzeitig bleibt in meinem Kopf das Chaos stehen. Und ihr erster Satz löst automatisch meinen ersten aus: »Ja, ich denk auch, dass wir uns kennen, und ich überleg andauernd, woher.«

Wir stehen ziemlich dicht beieinander und ich lehne mit dem Rücken am Zugfenster. Damit das Reden weitergeht, sage ich: »Ich hab's nicht fertig gebracht zu sagen, dass ich dich kenne. Ich dachte, das klingt nach Anmache.«

»Aber es stimmt doch«, sagt sie, »dann ist es keine Anmache.«

Ich stelle meinen Rucksack neben ihren und sie fragt: »Wolltest du in den anderen Wagen?«

»Eigentlich nicht, aber ich kam mir so blöde vor. Ich hätte gerne was zu dir gesagt und traute mich nicht. Das war komisch und deswegen wollte ich weggehen.«

»Was meinst du mit … komisch?«

Oh, fragt die direkt und deswegen antworte ich genauso: »Chaotisch und verlegen. Ich wusste halt nicht, was ich sagen soll.«

»Und jetzt weißt du's?«, fragt sie, guckt mich dabei aufmerksam an.

»Glaub schon.« Ich sehe an ihr runter. Schmal und sportlich wirkt sie.

»Der Zug ist in der zweiten Klasse total voll«, erzählt sie. »In der ersten gibt's wenigstens hier im Gang Platz. Aber ob wir da stehen dürfen? Meine Karte gilt nur für die zweite Klasse.«

»Meine auch. Mal hören, was der Schaffner sagt, wenn er kommt.«

»Eigentlich kann er nicht viel sagen«, meint sie. »Wir nehmen niemandem einen Sitz weg. Und hier im Gang ist genug Platz.«

Plötzlich fragt sie: »Gehst du in die NO?«

»Nee, in die Raabeschule.«

»Also kennen wir uns nicht aus der Schule. Ich bin nämlich in der NO.«

»Und wohin fährst du?«, frage ich.

»Nach Streitberg.«

»Wo ist das?«

»Bei Forchheim«, antwortet sie grinsend. Ich gucke wohl etwas hilflos und deswegen gibt sie mir Nachhilfe in Geografie. »In Forchheim muss ich aus dem Zug raus und das liegt in Franken.«

»Also in Süddeutschland«, sage ich.

»Ja, so dreißig Kilometer von Nürnberg entfernt. Da besuche ich Verwandtschaft.« Als sie das sagt, wirkt ihr Gesicht nicht übermäßig begeistert und ich frage: »Keine Lust?«

»Na ja, mäßig. Aber mir ist nichts Besseres eingefallen. Und wohin fährst du?«

»Nach Oldenburg, Verwandtschaft besuchen.«

»Keine Lust?«, fragt sie jetzt und ich antworte wie sie: »Na ja, mäßig.« Mehr erzähle ich nicht.

Ich gucke ihre Augen noch mal an. Diese kleine Schräge ist toll.

»Guck nicht so genau«, sagt sie. »Das stört mich. Ich denk immer, dabei merkt man, dass ich schiele.«

»Du schielst nicht«, widerspreche ich.

»Doch, ein bisschen.«

Ich gucke noch mal. Ja, auf einem Auge schielt sie wirklich ein wenig. Aber das sieht man kaum und wenn man es doch sieht, wirkt es zum Festgucken niedlich. »Das machst du mit Absicht«, behaupte ich.

»Nee, nee, wenn ich in einer bestimmten Art gucke, passiert das einfach.«

Jetzt guckt sie wohl anders, denn ich bemerke das Schielen nicht mehr. Sie schaut mich an und mich durchrieselt wieder das Gefühl, als hätte ich eine Glücksdroge eingenommen. Schöner Zustand und schon lange nicht mehr gehabt. Hoffentlich macht das nicht süchtig.

»Du schielst zwar nicht«, sagt sie, »aber du guckst unheimlich unterschiedlich. Eben guckst du so mehr in dich rein.«

»Kann sein, hab was gedacht.« Darauf ist sie ruhig und ich sage: »Das war vorhin blöd, dieses Dastehen, Redenwollen und der Mund ist wie zugenäht. Du kriegst keinen Satz raus.«

»Ich schon«, meint sie und grinst. »Du hast keinen Satz rausgekriegt.« Ich nicke und sie erzählt: »Ich kenn das aber auch, es ist irre blöde. Man muss üben, damit einem das nicht passiert.«

Beinahe hätte ich gefragt, ob sie schon oft geübt hat. Aber das schlucke ich runter und sage stattdessen: »Du steigst wahrscheinlich in Hannover um.«

»Ja. Ich fahr dann mit dem IC weiter.«

»Da muss ich auch raus«, sage ich und denke: Mist. Ich möchte länger neben ihr stehen bleiben, viel länger als bis Hannover.

Nun schalte ich vom Denken wieder aufs Reden: »Ich fahr mit einem Zug nach Bremen weiter, dort steig ich zum zweiten Mal um.«

Sie nickt. Klar, dazu kann sie nicht viel sagen. Mir fällt aber noch was ein. Der Gedanke wird plötzlich groß in mir und wichtig, und bevor ich lange weiter überlege, rutscht er mir vom Hirn in den Mund und schon sage ich: »Besonders blöd ist das mit dem Nicht-reden-Können und Redenwollen übrigens, wenn einem die, mit der man reden will, unheimlich gut gefällt.« Jetzt sage ich noch: »Eben war das so.«

Erstaunt und fragend guckt sie mich an, zeigt mit dem Daumen auf sich und mit dem Zeigefinger der gleichen Hand auf mich. Ich nicke und sie murmelt: »O Mann.« Und dann kommt: »Dass du das jetzt schon sagst, so schnell. Irre.«

»Wann sonst?«, frage ich.

Endlich fühle ich mich wieder frei beim Reden. Ich habe mir mal fest vorgenommen: Wenn ich rede, will ich sagen, was ich denke. Ich will nicht mehr ewig drum herum reden. Aber diese blöde Schüchternheit, diese Hemmungen, machen mich halt trotzdem immer wieder mal sprachlos wie vorhin. Zum Glück ist das jetzt vorbei.

Das Mädchen denkt wohl noch über mein »Wann sonst« nach und antwortet darauf: »Ich weiß nicht, wann man sagen kann, dass einem jemand unheimlich gut gefällt. Vielleicht nach ein paar Stunden oder ein paar Tagen. Vorher muss man sich kennen lernen, sonst weiß man gar nicht, ob einem der oder die wirklich gefällt.«

»Aber du steigst bald aus«, sage ich, »und ich hab mir schon in der Bahnhofsvorhalle gedacht, dass ich dich toll finde. Wenn ich's jetzt nicht sage ...«

Ich rede nicht weiter. Vielleicht hat sie ja Recht und ich habe das viel zu schnell gesagt. Aber trotzdem stimmt es.

Sie sieht mich an, geht mit ihrem Kopf etwas zurück, als wollte sie genauer gucken. Dann grinst sie, schiebt ihre Unterlippe vor und gleichzeitig nach oben und links. Ihre Oberlippe zieht sie etwas zurück. Jetzt pustet sie nach oben, vorbei an ihrer Nase und pustet sich eine Strähne aus der Stirn. »Ich hab dich auch in der Bahnhofsvorhalle gesehen«, sagt sie. In dem Augenblick mache ich ihr das Pusten nach und sie lacht.

Der Zug fährt weiter und an einem Dorf vorbei. Oh, ich könnte wirklich ewig hier bleiben und mit ihr fahren. Aber das wird eine kurze Ewigkeit ... bis nach Hannover. Ich kenne die Strecke, in einer halben Stunde steigen wir um. Schade.

»Aus dem Sportverein«, sagt sie so plötzlich, dass ich fast erschrecke. Ich verstehe nicht, was sie meint, und frage: »Was ist mit dem Sportverein?«

»Daher kennen wir uns.«

»Nee, ich war nie im Sportverein.«

»Dann nicht«, meint sie. Nun wechselt sie das Thema und sagt: »Du bist irgendwie seltsam. Erst mal starrst du mich an und redest kein Wort, guckst nur und guckst. Dann willst du gehen und ich sage schnell was und danach erzählst du, dass du mich toll findest.«

Jetzt verrate ich ihr, was ich vorhin gedacht habe: »Ich hab mir vorgenommen, wenn mir was wirklich wichtig ist, will ich's sagen. Leider schaffe ich das nicht immer gleich. Ich übe noch.«

Sie zieht die Augenbrauen etwas hoch und sagt: »Das hat was, klingt nicht schlecht. Aber trotzdem ... es war seltsam. Ich hab schon gedacht: Ist der Typ stumm?«

4

Stumm ... ja, das war er in den letzten zwei Jahren fast geworden. Mit dem Mädchen im Zug hatte er für seine Verhältnisse nach einigem Anlauf viel geredet, ungewöhnlich viel. Hätten ihn die Leute gehört, die ihn kennen, hätten sie gestaunt: Oh, Jos redet endlich wieder.

Angefangen hatte das Immer-weniger-Sprechen, nachdem seine Mutter vor etwas über zwei Jahren krank geworden war. Sie hatte Krebs gehabt. Von da an ging es bei Jos fast nur noch um ihre Krankheit, die er sehr nah miterlebte. Die meiste Zeit war seine Mutter ja auch zu Hause, musste dann aber immer wieder für einige Tage oder Wochen ins Krankenhaus.

Jos erlebte den Schock des Satzes: Es ist Krebs. Er erlebte die Hoffnung, dass man diese Krankheit besiegen kann. Er sah und hörte die Übelkeit, das Erbrechen, die Schwäche nach der Chemotherapie. Er erlebte den Haarausfall und die Angst, dass die Chemotherapie und alle anderen Mittel nicht mehr helfen. Und weil der Krebs sich immer weiter ausbreitete, musste seine Mutter immer wieder operiert werden. Er erlebte die Angst vor den Operationen, danach kurze Zeit Hoffnung und ständige Rückschläge, denn der Krebs fraß sich weiter. Immer öfter dachte Jos: Sie stirbt. Und immer wieder der Gedanke: Das kann nicht sein. Das darf nicht sein.

Nach der vierten Operation und vor der fünften starb sie. Und sie hatte so sehr gehofft wenigstens noch ein paar Jahre zu leben.

Über die Krankheit und über das Sterben seiner Mutter hatte Jos nur wenig mit anderen gesprochen und noch weniger darüber, wie es ihm dabei ergangen war.

Natürlich wussten die Freundinnen und Freunde vom Krebs seiner Mutter. Wenn sie ihn direkt danach fragten, bekamen sie knappe Antworten und sie fragten immer weniger. Sie hatten den Eindruck: Jos will nicht darüber sprechen. Jos hatte den Eindruck: Sie können nicht darüber sprechen, denn sie wissen nicht, was sie fragen und sagen sollen. Und er wusste es selbst nicht, wie er mit ihnen darüber sprechen sollte. Er konnte es nicht. Es war zu schwierig und zu persönlich. Außerdem glaubte er, dass sie in Wirklichkeit auch nichts darüber wissen wollten.

Jos hatte Gedanken und Gefühle und keine Wörter und Sätze mehr dafür.

Das Reden war für ihn vorher nie schwierig gewesen. Sie hatten halt das Übliche miteinander geredet, über Schule, Lehrer, Schwierigkeiten mit den Eltern, wie schlimm es in der Welt zugeht, Musik, Freunde, Freundinnen. Wohin gehst du heute? Usw. Alles ganz normal. Aber durch die Krankheit seiner Mutter wurde Jos aus dieser Normalität gestoßen.

Er konnte in seiner Clique nicht darüber sprechen, was ihm wirklich wichtig war. Und was den anderen wichtig war, fand er ziemlich unwichtig. Es interessierte ihn immer weniger. Dadurch war es zwischen ihm und seinen Freunden anders geworden, fremder, unpersönlicher, immer sprachloser.

Nadine, seine letzte Freundin, gehörte mit zur Clique. Nach dem Tod seiner Mutter war sie trotz seiner und ihrer eigenen Sprachlosigkeit und obwohl er kaum noch irgendetwas mitmachte, bei ihm geblieben. Aber sie sahen sich immer seltener und schließlich lernte sie jemanden kennen, mit dem es lebendiger und lustiger war als mit Jos. Also trennte sie sich schließlich von ihm.

Er war zurückgeblieben. Das Schweigen wurde für ihn mehr und mehr zur Gewohnheit. Er hatte es angefangen, sich reingesteigert und nun kam er nicht mehr raus.

Jos traf sich auch immer seltener mit anderen. Er tat nur noch das Nötigste. Er ging zur Schule und machte Hausaufgaben. Und er hörte den anderen zu, wenn er mal mit ihnen zusammen war. Aber das Zuhören brachte ihn nicht zum Sprechen. Im Gegenteil. Immer öfter sagte eine Stimme in ihm: ›So ein Gequatsche! Furchtbar unwichtig. Was reden die bloß? Und wie sie reden, sich wichtig tun. Geschraubt. Gestelzt. Künstlich. Vor allem die Erwachsenen, aber auch die Leute in meinem Alter reden so. Sie quatschen und quatschen.‹

Je länger er diesen Eindruck hatte, desto genauer hörte Jos den anderen übrigens zu, als wollte er sich seinen Eindruck ständig bestätigen lassen. Aber je genauer er zuhörte, desto weniger Interesse hatte er, sich am Reden zu beteiligen. Dabei war er früher witzig gewesen, schlagfertig, hatte auch gern mal Quatsch erzählt. Schade, dass er sich so verändert hat, hieß es.

Im Zug auf der Fahrt Richtung Hannover war Jos zum ersten Mal wieder anders geworden. Neben dieser jungen Frau hatte er das Gefühl aufzutauchen, lebendiger zu werden. Dabei wusste er nicht einmal ihren Namen und deswegen fragte er:

5

»Wie heißt du?«

»Gesa.« Und ich denke: Mit dem Namen kann sie leben, der klingt gut. Bevor ich noch irgendwas anderes denken kann, fragt sie: »Und du, wie heißt du?« Sie guckt mich gespannt an und ich antworte: »Eigentlich … Johannes.«

Plötzlich ist die Spannung aus ihrem Blick verschwunden, dafür lacht sie und sagt: »O Mann, das ist hart. Wenn man so heißt, muss man bestimmt total nett sein oder unheimlich was drauf haben … Da drin, meine ich …« Sie klopft sich an die Stirn und sagt: »Der Name ist ’n echtes Handicap im Leben.«

Ich nicke und gucke wohl ziemlich düster, denn so deutlich hat mir noch niemand gesagt, dass mein Name bescheuert ist. »Aber alle nennen mich Jos«, erkläre ich ihr.

»Klingt besser«, meint sie, »sogar wesentlich besser, richtig entspannt.« Sie dreht sich zu mir, lacht etwas und sagt: »Als ich deinen Namen gehört hab …«

»Welchen?«, unterbreche ich sie.

»Johannes. Also, als ich den gehört hab, wusste ich plötzlich, woher ich dich kenne.« Sie macht eine Pause, bevor sie ganz ernst erklärt: »Ist doch klar … von deiner jährlichen Osteransprache in Rom.«

»O Gott«, stöhne ich und grinse.

»Nicht ganz«, sagt sie. »Aber der Papst ist doch auch was und mit dem fahr ich durch die Gegend. Halleluja!« Gesa faltet ihre Hände und guckt irgendwie sehr fromm auf sie runter.

Mensch, macht das Spaß, mit ihr unterwegs zu sein. Ach so, ja, wir fahren mit dem Zug, fällt mir bei dem Gedanken ein. Vor lauter Begeisterung wusste ich eigentlich gar nicht mehr, wo wir sind. Und als ich wieder daran denke, fällt mir leider sofort ein, dass wir keine halbe Stunde mehr zusammen sein werden. Ab Hannover fährt sie in eine andere Richtung.

Dieser Gedanke pikst in den Ballon meiner Begeisterung und die Luft ist raus. Gesa sieht mir das wohl an und murmelt düster: »Bruder Johannes, die Lage ist sehr, sehr ernst. Ich merke das deutlich.« Dazu guckt sie mir ins Gesicht und sagt: »Du, ich hab heute keine Lust dauerhaft ernst zu sein, auch wenn's vielleicht so ist. Die Ferien haben angefangen, Johannes. Ist doch toll.«

»Sag nicht Johannes zu mir«, verlange ich.

»Okay, Johannes.« Wir stehen nebeneinander und lachen. Ich gucke in ihr strahlendes Gesicht. Ihr Lachen steckt mich an, reizt mich und wir lachen weiter.

Nach ihrem letzten Lacher räuspert sie sich und sagt: »Also ehrlich, Jos, so lustig war das eigentlich gar nicht. Ich nehm mein Lachen zurück.«

»Wie geht das?«

»Ganz einfach, man lacht rückwärts.«

»Frau«, sage ich.

»Was ist mit Frau?«

»Frau lacht rückwärts.«

»Ach so.«

Das Rückwärtslachen versucht Gesa aber nicht. Jetzt trete

ich fast auf ihren Rucksack neben mir und in mir höre ich eine meiner zwei Stimmen, und zwar die zweite, freundliche: ›Du hast Recht, Junge. Die Frau ist toll. Man könnte sich glatt in sie verknallen. Bist du's schon?‹

Ich überlege und antworte der Stimme nicht. ›Na?‹, fragt sie, dann ist sie ruhig. Aber in meinem Kopf rumort plötzlich ein Gedanke: Wirklich, ich verknall mich gerade in Gesa. Ganz klar.

›Idiot!‹, beschimpft mich die andere Stimme, die erste, unfreundliche. ›Das ist typisch. Du verknallst dich, wenn's absolut zwecklos ist.‹

Na ja, denke ich, kann man nix machen.

Gesa sagt etwas spöttisch. »Sieht ziemlich interessant aus, wenn du denkst, allerdings auch sehr angestrengt.«

»He!«, sage ich. »Wir kennen uns gar nicht und du bist … äh …«

»Was … äh?«

»Na ja … du bist … frech … oder so was zu mir.«

»O Mann, das hier ist wohl die persönliche Audienz von Papst Johannes«, sagt sie. »In der Audienz muss frau fromm und freundlich sein. Darf keine Sprüche ablassen, nienicht und nimmermehr? Und weißt du … das war alles gar nicht frech … oder so was … Bisher war ich eigentlich sehr zurückhaltend, fast scheu. Nur du warst das nicht. Immerhin hast du gesagt, dass du mich toll findest, und zwar vor zehn Minuten.«

»Stimmt«, sage ich und in mir denkt es laut und aufgeregt: Mensch, ich bin wirklich verknallt in sie. BAFF! So ist es! Verdammte Kiste!

Wie aufgedreht fühle ich mich, spüre kribblige Nähe. Möchte Gesa vor Begeisterung umarmen – und tu's nicht.

Gesa sieht mir die Begeisterung wohl nicht an, denn sie sagt:

»Auha ... du denkst wieder ganz ernst in dir herum. Junge, Junge, es ist alles sehr belastend ... Oder?!«

»Im Augenblick überhaupt nicht.«

»Das ist noch schlimmer!«, klagt sie und dann tut sie plötzlich ziemlich alt und weise: »Die jungen Menschen heutzutage nehmen nichts mehr ernst.«

Dazu schweige ich, denn ich will was anderes wissen: »Rauchst du eigentlich?«

»Wieso, rieche ich danach?«

Ich komme Gesa mit meiner Nase so nah, wie ich es sowieso sein möchte, und das Riechorgan meldet nur Angenehmes.

»Nee«, sage ich, »du riechst nicht nach alter Zigarette. Aber deine Stimme klingt tief und ein bisschen kratzig wie bei Rauchern.«

»Ich rauch nicht. Die Stimme hab ich von meiner Mutter, ist 'n Gendefekt.«

Als ich »Mutter« höre, wird es einen Augenblick ruhig in mir. Die Euphorie bleibt plötzlich stehen, als würde sie aus vollem Lauf angehalten. Und jetzt sehe ich ein Bild meiner Mutter vor mir, es erscheint in meinem Kopf. Sie kommt in mein Zimmer und steht einfach da, gleich neben der Tür. Aber bevor ich mehr sehe, fragt Gesa: »Wie viel Zeit hast du in Hannover zum Umsteigen?«

»Achtzehn Minuten, wenn wir pünktlich sind.« Das Sprechen knipst das Bild meiner Mutter wieder aus und die Euphorie kehrt zurück. »Wie viel Zeit hast du?«, frage ich.

Gesa zieht einen Zettel aus der Hosentasche, guckt darauf und antwortet: »Zwölf Minuten.«

»Das Umsteigen schaffen wir also leicht«, sage ich. Plötzlich hoffe ich, dass wir sehr unpünktlich sein werden. Es wäre schön, mit Gesa den Zug zu verpassen.

Die Leute im Abteil hinter uns hatte ich völlig vergessen. Aber eben sagt jemand von ihnen etwas so laut, dass sie mir wieder einfallen. Gesa geht es wohl genauso, denn sie fragt: »Hei, was ist plötzlich mit der gedämpften Gruppe da drin los? Einer von denen hat einen Temperamentsausbruch.«

Wir drehen uns um und gucken zu den Leuten hinter Glas. Aber die schweigen schon wieder, reisen erstklassig und still vor sich hin. Der Temperamentsausbruch war wohl nur ein Versehen. Einer von ihnen versteckt sich hinter einer aufgeschlagenen Zeitung. Eine schläft und die anderen gucken in sich rein oder irgendwohin. Nur eine ältere blasse Frau guckt durch ihre Brille zu uns und dann schnell weg.

Wir drehen uns wieder um und ich spüre das Rattern des Zugs unter den Füßen. Draußen sehe ich Leitungen wie schwarze Striche, darüber hellblauen Himmel. Dann erkenne ich im Fenster die schwache Spiegelung von Gesa und die Spiegelung berühre ich mit dem Zeigefinger, ohne dass Gesa es merkt.

»Würdest du gerne da drinnen bei den Leuten sitzen?«, frage ich.

Sie schüttelt den Kopf und antwortet: »Nienicht und nimmermehr. Ich stehe lieber hier, ist irgendwie besser.«

Warum sie das besser findet, verrät sie nicht. »Nienicht und nimmermehr ist dein Lieblingsspruch?«, frage ich.

»Nee, bisher nicht, denn er ist ganz neu. Erst zweimal gebraucht und vorhin erfunden, also wirklich nigelnagelneu. Aber er könnte mir länger gefallen.«

Gefallen? ›Sie gefällt dir‹, flüstert die freundliche Stimme in mir. ›Und sie könnte dir garantiert auch länger gefallen.‹ Aber sie braucht mir das gar nicht zu flüstern, die Stimme. Ich weiß das selbst.

Ich muss Gesa noch mal genauer ansehen, aber nicht zu auffällig. Wie mache ich das bloß?

»Sitzplätze wären eigentlich doch nicht schlecht«, sagt Gesa plötzlich.

»Es gibt aber keine«, antworte ich und verschiebe das genaue Angucken.

»Natürlich gibt's welche. Hier …« Gesa zeigt auf den Teppichboden im Gang, in dem wir stehen.

»Stimmt, überall massenweise freie Sitzplätze.«

»Und Sitzen ist besser als Stehen«, meint Gesa. Schon setzt sie sich auf den Teppichboden, und ihren Lederrucksack zieht sie zu sich. Ich setze mich neben sie und ihren Rucksack. Meinen lege ich auf die andere Seite. Zwei Rucksäcke Abstand zwischen uns wären zu viel.

Ich lehne an der Abteilwand und der Zug rattert Richtung Hannover. Gesa sagt: »Ich möchte ja gerne wissen, was die Leute im Abteil jetzt denken, wo wir so plötzlich nach unten abgetaucht sind. Ich zeig ihnen mal, dass es uns noch gibt.« Gesa hält ihre Hand in die Höhe des Abteilfensters und winkt kurz. Ich mache ihr das nach.

Sie lehnt neben mir, hat die Beine angezogen. Weil wir nichts reden, will ich das versäumte Gesa-Ansehen jetzt nachholen. Eben guckt sie einfach vor sich hin. Oder guckt sie zu mir? Vielleicht heimlich schräg und nur ein wenig, so wie ich zu ihr gucke.

Mein Blick traut sich nicht richtig an ihr runterzuwandern. Sie könnte mich ja dabei beobachten und das wäre mir irgendwie unangenehm. Ihren Fastpferdeschwanz drückt sie an die Abteilwand hinter uns. Ich suche die kleine Narbe an ihrer Nase und sehe sie nicht. Ihr Gesicht ist braun, mein Blick spürt weiche, schöne Haut. Dann tanzt der Blick neugierig und kurz von ihrem Gesicht weg und über ihren Körper.

Das blaue T-Shirt sieht spannend aus. Das Spannende daran ist allerdings nicht die Farbe, sondern das, was der Stoff spannend verdeckt und trotzdem zeigt. Ihren Busen, den ich von einer Seite sehe. Toll ist der, und ich sehe deutlich: Gesa ist nicht überall schmal.

Mein Blick wandert zu ihren braunen Beinen, die aus den blauen Shorts ragen. Schlanke schöne Beine hat sie. Aber irgendein stärkerer Biomagnetismus in mir lässt den Blick wieder zu ihrem Busen hüpfen und der ist verdammt aufregend. Plötzlich schießt mir durch den Kopf: Ob Mädchen Jungen eigentlich genauso ansehen? Keine Ahnung.

O Mensch, weibliche Körper sieht man in jeder Zeitschrift, jedem Film, und zwar nackt. Aber so stoffbezogen wirken sie noch interessanter, spannender.

Mein Blick sammelt anregend Aufregendes, das spüre ich im ganzen Körper. He! Aus meinem Hormonhaushalt funkt es SOS.

Wahnsinnsgefühl. Guck weg, Junge! Aber mein Blick gehorcht nicht.

Jetzt spüre ich deutlich, was die wirbelnden Hormone anrichten und aufrichten. Deswegen ziehe ich meine Blicke von Gesa ab und gucke an mir runter. Das ist ein Kontrollblick, ich will sehen, ob Gesa meine Aufregung erkennen kann. Wäre mir peinlich. Aber der Kontrollblick verrät mir, dass sich mein aufgeregtes männliches Teil noch nicht richtig abzeichnet. Gut so! Und ich begucke Gesa wieder.

Plötzlich reißt sie ihre Arme ein Stück hoch und schlägt mit den Händen wie eine Karatekämpferin durch die Luft. Ich erschrecke und sie ruft: »Ha!« Grinsend erklärt sie mir: »Dein

Blick ist so was von ätzend scharf, dass dagegen nur Karate hilft.«

Ich brumme: »Hm.« Mehr fällt mir dazu nicht ein. Aber Gesa fällt noch etwas ein: »Die Kerle gucken alle ähnlich. Der eine etwas direkter, der andere weniger direkt. Andere starren, dass frau denkt, dem Typen treibt's gleich die Augäpfel aus der Höhle. Na ja, damit muss frau wohl leben. Gehört zur Rubrik: Seltsames Balzverhalten. WOW! Aber tu mir einen Gefallen, Jos, dimmer deinen Blick etwas ab. Okay?«

Schon ziehe ich meinen Blick zurück. Einen Moment bin ich ruhig. Gesa beugt ihren Kopf näher zu mir, guckt mir ins Gesicht und sagt: »Alles sehr, sehr dunkel und schwierig, gell?! Es ist fünf vor zwölf. Mindestens. Die Katastrophe steht vor der Tür und klopft an. Man könnte depressiv werden. Jedenfalls siehst du eben so aus.«

Das sagt sie sehr schnell und danach lacht sie. Ihr Lachen klingt wie ihr Sprechen, ziemlich tief und rau. Außerdem reißt es mich mit.

Schade, dass wir uns nur so kurz sehen. Ach, warum blitzen in mir immer wieder solche Trauergedanken auf? Die stören. In Gesas Innenleben geht's glaube ich irgendwie ... na ja ... einheitlicher zu, nicht so rauf und runter wie bei mir.

Ob die mich auch mag?, schießt es durch meinen Kopf. Bevor noch etwas hinterherschießt, wird die Wagentür neben Gesa geöffnet. Und da steht der Schaffner vor uns. Weil ich sitze, sehe ich erst mal seine Schuhe und die blauen Hosenbeine. Wir gucken zu dem dicklichen Mann hoch und Gesa lächelt. Er sieht auf uns runter, lächelt nicht und verlangt: »Die Fahrkarten bitte.«

Wo habe ich meine? Ich wühle in den Hosentaschen. Nee, da ist die Karte nicht. Gesa hat ihre mit einem Griff und zeigt sie dem Mann, während ich suche und wühle und dabei immer nervöser werde.

Halt! Jetzt fällt es mir ein. Die Karte habe ich in der vorderen Rucksacktasche verstaut und da finde ich sie auch. Ich reiche sie an Gesa vorbei zum Schaffner hoch, berühre dabei aus Versehen Gesas Haar. In dieser Haltung bin ich näher bei ihr und sofort meldet meine Nase: Gesa riecht toll.

Der Uniformierte guckt unsere Karten an und sagt: »Die IC-Tramper-Monatstickets gelten nur für die zweite Klasse. Sie sind hier in der ersten.«

»In der zweiten Klasse ist es total voll«, sagt Gesa. Er nickt zu uns runter und sagt: »Ich weiß. Sie können aber trotzdem nicht hier sitzen bleiben.«

»Schade«, bedaure ich. Er zuckt mit den Schultern, als würde er das eigentlich auch nicht in Ordnung finden, dass wir hier verschwinden sollen. Dann schlägt er vor: »Sie können natürlich auch eine Übergangskarte in die erste Klasse bei mir lösen.«

»Zu teuer«, meint Gesa. »Wir sind Schüler. Dürfen wir nicht doch hier bleiben? In Hannover steigen wir sowieso aus.«

»Nee«, antwortet er etwas zögernd. Und jetzt kommt das, worauf ich eigentlich warte: »Ich muss mich an meine Vorschriften halten. Also … entweder Sie lösen Übergangskarten oder Sie gehen den Gang zurück in die zweite Klasse.«

»Wenn's sein muss«, sagt Gesa, »aber hier war's gemütlich. Na ja … ich gehe dann.« Sie guckt mich an und ich sage: »Ich komme mit. Aber es ist wirklich ätzend voll.«

Der dicke uniformierte Mann schnauft laut, nimmt seine Mütze ab und schimpft: »Es sind einfach zu wenig Wagen angehängt worden, und das zum Ferienbeginn. Unmöglich ist das!«

Wir stehen auf. Bestimmt starren uns jetzt die Leute aus dem Abteil an und denken, dass der Schaffner uns angemotzt hat. Er setzt seine Mütze wieder auf und sagt: »Tut mir Leid.«

Gesa lächelt und meint: »Wirklich schade um unsere schönen Sitzplätze, wo hier im Gang doch alles frei ist.«

Ich bücke mich nach meinem Rucksack, da höre ich den Schaffner noch mal: »In Hannover müsst ihr umsteigen? ... Na ... dann lohnt das Wechseln in die zweite Klasse eigentlich wirklich nicht mehr. Ach ... bleibt hier, ihr beiden. Wenn der Prüfdienst kommt, soll der euch doch wegschicken. Ich jedenfalls tu's nicht. Tschüs und gute Fahrt.« Damit schiebt sich der dicke Mann an uns vorbei und geht zur Abteiltür. Bevor er die öffnet, um die Fahrkarten der Sitzenden zu kontrollieren, dreht er sich kurz zu uns und lächelt.

Wir stehen am Zugfenster, gucken raus. Ich sehe aber eigentlich gar nichts, denn mein Innenleben ist damit beschäftigt, dass wir gleich aussteigen müssen. In ungefähr fünfzehn Minuten ist es so weit.

»Der Schaffner war nett«, meint Gesa und ich nicke. Plötzlich fällt mir ein: »Vielleicht kennen wir uns vom Einkaufen. Wo wohnst du?«

»In der Allerstraße.«

»Also beim Altewiekring. Nee, dann kennen wir uns nicht vom Einkaufen. Ich wohne im Erlenbruch, im Norden ist das, noch hinter der Hamburger Straße.«

Eben verschwindet der Schaffner aus unserem Wagen. Ich setze mich wieder auf den Boden und auch Gesa setzt sich. Oh, diesmal liegt ihr Rucksack nicht zwischen uns, sondern auf der anderen Seite. Ist das Absicht? Jedenfalls sitzen wir enger zusammen. Gesa fragt: »Du hast auch so 'ne Monatstramperkarte?«

»Ja, hab ich mir gekauft.«

Gesa erzählt: »Ich hab mir meine zum Geburtstag schenken lassen. Ich hatte einfach Lust, kreuz und quer rumzufahren.«

Jetzt könnte ich ein paar Fragen stellen, zum Beispiel: Warum fährst du alleine? Natürlich könnte ich auch fragen: Wann hast du Geburtstag gehabt? Und wie alt bist du geworden? Aber ich frage nichts. ›Hast Recht‹, sagt die pessimistische Stimme mir. ›Die Fragerei hat sowieso keinen Sinn mehr.‹ Aber die zweite Stimme verlangt: ›Frag einfach. Los.‹ Und ich sitze neben Gesa und frage nichts.

Sie steckt die Fahrkarte zurück und ich verstaue meine. Ganz oben in ihrem Rucksack liegt die Zeitung. Na ja, die kann sie ja dann später lesen, hat genug Zeit dazu. Jetzt kramt sie einen Apfel aus dem Rucksack und ein kleines Fläschchen. »Was ist denn da drin?«, frage ich.

»Flüssiger Süßstoff. Ich versuch zurzeit wenig zu essen, ich will abnehmen.«

»Du? Warum denn?«

»Will ich eben.« Gesa schraubt die Kappe vom Süßstofffläschchen ab. »Also esse ich Äpfel, und zwar ziemlich saure«, erklärt sie. »Die sind am besten zum Abnehmen. Aber sie schmecken bescheuert sauer, deswegen kommt Süßstoff drauf.«

»Igitt«, mache ich. Gesa träufelt ein paar Tropfen auf den Apfel und reibt ihn damit ein, dann beißt sie rein. »Ist das nicht eklig?«, frage ich.

»Ich mag's. Erst mal schmeckt es schön süß und danach kommt der saure Apfelgeschmack. Da muss ich durch. Das schmeckt aber nur mit diesem Süßstoff, die anderen sind bitter. Hab alle durchgetestet.«

Ich verziehe mein Gesicht und sie fragt: »Willst du probieren?« Ich schüttele den Kopf und sie beißt noch mal vom Apfel.

Warm ist es hier. Gesa kaut und gleichzeitig pustet sie sich wieder eine Strähne aus der Stirn. Als ich das sehe, muss ich es sofort nachmachen. Gesa grinst mich an und lobt: »Klappt schon ganz gut. Solltest aber noch üben.«

Eben fährt der Zug langsam, ziemlich unruhig und ratternd, als wollte er anhalten. Plötzlich fällt mir ein: »Weißt du, wenn ich durch eine schöne Gegend fahr, stell ich mir manchmal vor, dass ich einfach aussteige, rumlaufe und gucke, wie schön es da wirklich ist. Und irgendwo ess ich und trink ich was in einer Gaststätte. Ich glaube, das wär gut.«

»Klingt auch so«, sagt Gesa. Und ich denke: Mensch, wir müssten hier einfach raus aus dem Zug, Gesa und ich. In dem Augenblick sagt sie: »Ich stell mir so was auch manchmal vor, aber ich tu's nicht.«

»Eigentlich schade«, meine ich.

Gesa steht auf, guckt aus dem Fenster und sagt: »Hier ist es schön, eine Gegend zum Aussteigen.«

Will sie das wirklich? Na ja, der Zug hält jetzt nur, wenn wir die Notbremse ziehen, und wir werden's nicht tun. Aber irgendwie lässt sich der Gedanke nicht verscheuchen, dass es gut wäre, einfach auszusteigen, und zwar nicht alleine, sondern mit Gesa.

Schließlich wird der Zug noch langsamer. Wahrscheinlich sind wir gleich in Lehrte und die nächste Station ist dann Hannover. Als der Zug anhält, stehe ich auf, öffne ein Fenster und gucke raus.

»Lehrte! Lehrte!«, brüllt ein Lautsprecher dicht neben mir, als müsste er mich möglichst laut überzeugen, dass es diese Stadt wirklich gibt.

Wir stehen nebeneinander und gucken über die Bahnsteige. Jemand drückt sich an uns vorbei, dabei schiebt er mich dicht zu Gesa und ich spüre ihren nackten Arm an meinem. Draußen geht der dicke Schaffner an den Zugwagen entlang. Als er uns im Fenster sieht, lächelt er und hebt kurz seine Hand. Das sieht aus wie ein angefangenes und gleich danach abgebrochenes Winken.

Es pfeift und der Zug rattert los. Am offenen Fenster ist der Fahrtwind kühl. Als wir langsam fahren, streicht er über meine Haare und die Haut. Dann wird der Zug schneller und der Wind reißt an den Haaren und drückt sich kalt gegen den Kopf. Die Augen tränen und ich schließe das Fenster.

Ich spüre Gesa eng bei mir. Schönes Gefühl. Das ist mir wichtig, geht mich was an, berührt mich. Ist wie eine sanfte Explosion in mir. Viel warmes Gefühl strahlt durch meinen Körper. Und das, nachdem mir lange Zeit alles ziemlich egal und unwichtig war, halt mit Grauschleier überzogen.

»Hei!«, ruft Gesa. »Action, Mann! Spot an … und los!« Dann fragt sie mich mit völlig anderer – irgendwie offizieller – Stimme: »Ist der Sitzplatz neben Ihnen reserviert?«

»Nee.« Ich lache und wir setzen uns auf den Fußboden zurück. Dann hebe ich schnell eine Hand in die Höhe des Abteilfensters und winke, damit die Leute da drin wieder sehen: Die zwei sind auf dem Boden gelandet.

Wir lehnen an der Abteilwand und ich sage: »So … gleich sind wir da.«

»Ja … und dann steigen wir aus.«

»Schade«, sage ich. »Es ist schön, hier zu sitzen und mit dir zu fahren.« Sie nickt und sagt: »Ich fahr auch gerne mit mir.« Schon wieder bringt sie mich zum Lachen.

»Ist halt so, dass jeder von uns in ’ne andere Richtung will«, stellt sie fest und guckt vor sich hin.

»Muss das sein?«, frage ich. Gesa zuckt mit den Schultern und antwortet: »Eigentlich muss gar nichts sein, wenn man’s nicht will.« Dann schlägt sie vor: »Wir können uns ja mal treffen, wenn du zurückgekommen bist.«

»Hm«, mache ich und nicke. »Ich geb dir meine Telefonnummer.«

Im Rucksack finde ich einen Zettel und einen Kugelschreiber. Das Stückchen Papier reiße ich in zwei Teile. Auf das eine schreibe ich meinen Namen und meine Telefonnummer. Dahinter schreibe ich: »Im Zug nach Hannover.« Den Zettel gebe ich Gesa. Sie guckt drauf und sagt: »Ach, meinst wohl, ich vergesse, wo wir uns getroffen haben. Glaub ich nicht.« Nun schreibt sie ihren Namen und ihre Telefonnummer auf den Zettelrest und gibt ihn mir.

Das sieht alles sehr nach Abschied aus. Aber immerhin, wir können uns irgendwann wieder sehen.

Als ich den Kugelschreiber in den Rucksack zurücklege, bleibt mein Blick an einem Plakat hängen, auf dem groß steht: »Willkommen bei der Bahn. Willkommen im Leben.«

Eigentlich klingt das doof. Trotzdem starre ich auf diesen Spruch. Der berührt mich plötzlich. Ich spüre das, es läuft mir kalt den Rücken runter. Das Gefühl kenne ich sonst vor allem, wenn ich Musik höre.

Gesa und ich sitzen da und reden nichts mehr. Ich glaube, das wird ein schweigender und längerer Abschied. Wieder gucke ich zu dem Plakat, lese den Spruch noch mal: »Willkommen bei der Bahn …

6

… Willkommen im Leben.« Ja, es wird immer deutlicher, dass sich Jos in dieser kurzen Zeit im Zug verwandelt hat. Genauer: Er hat sich zurückverwandelt. Seine Begeisterung, Freude, der Überschwang haben ihn gepackt und ihn einen Salto rückwärts schlagen lassen in das, was er vor der Krankheit und dem Tod seiner Mutter gewesen war: lebendig.

Das Zusammensein mit Gesa hat ihn aus seiner Erstarrung gelöst, jedenfalls für diese Stunde. Jos kann seine Trauer beiseite schieben. Nein, eigentlich muss er sie gar nicht beiseite schieben. Er hat sie einfach vergessen, und das ohne schlechtes Gewissen. Und er vergisst auch, dass er ja eigentlich der große etwas rätselhafte Schweiger ist.

Seine Gedanken und Gefühle werden wieder zu Wörtern und Sätzen. Jos ist aufgebrochen, weggefahren und es kommt endlich Bewegung in sein Leben.

Seit einigen Tagen ist der Wunsch aufzubrechen da und vorgestern Abend wurde es Jos endgültig klar: Ich muss hier raus, weg von zu Hause.

Jos hatte stundenlang in seinem Zimmer gesessen und Musik gehört. Wenn er die Musik leiser drehte, hörte er aus dem Wohnzimmer unten den Fernsehapparat, vor dem sein Vater saß.

Irgendwann stellte Jos die Musik ab und wusste nicht, was er tun sollte. Zum Weggehen hatte er keine Lust. Zu seinem Vater nach unten wollte er auch nicht, denn er spürte: Wir können nicht gut zusammen sein. Und vor allem … wir können nicht miteinander sprechen. Eigentlich sprechen sie nur das Allernötigste: Wann kommst du nach Hause? Wann essen wir?

Wer kauft ein? Wann kommt Frau Sielmann, die Haushälterin? Usw. Andere Gespräche werden sofort krampfig, gekünstelt, so empfindet es Jos jedenfalls.

Jos hörte die Fernsehgeräusche durch die Wände des Hauses, in dem sie beide alleine leben. Nach dem Tod seiner Mutter hatte Jos sich gewünscht, sein Vater und er könnten sich nah sein, obwohl sie das bis dahin auch nicht gewesen waren. Mit Sabine, seiner Mutter, hatte er reden und lachen können. Mit ihr war er meistens gerne zusammen gewesen.

Jos saß da und Bilder tauchten in ihm auf. Erinnerungsblitze. Er sah seine Mutter und sich in der Küche am kleinen Esstisch. Er sah sie beide auf der Terrasse beim Teetrinken in der Sonne. Und beim gemeinsamen Spielen sah er Sabine und sich, als er ein Kind gewesen war. Er sah sie abends, wenn sie die Tür zu seinem Zimmer öffnete und »Gute Nacht, Jos« sagte. Gute Bilder waren das, warme. Seinen Vater sah er da nirgends. Der war wie ein dunkler Fleck in der Erinnerung. Und obwohl seine Mutter gestorben war, lebte sie mehr in Jos als sein lebendiger Vater.

Jos dachte: Ist ja auch klar, dass sich das so entwickelt hatte. Konrad, sein Vater, war oft nicht zu Hause gewesen. Er arbeitet für ein Institut, fragt das Verhalten und die Einstellungen von Leuten ab und setzt ihre Antworten in Statistiken, Tabellen und Artikel um. Für diese Arbeit musste er schon immer oft verreisen. Kam er nach Hause, war er für Jos eigentlich fremd gewesen. Und dieser ziemlich fremde Mann mischte sich dann wieder in Sabines und sein Leben ein. Redete los, ohne Hintergründe zu kennen, spielte plötzlich Vater oder Haushaltsvorstand. Auch Sabine hatte das gemerkt und ironisch darüber gelächelt.

Die Fernsehgeräusche aus dem Wohnzimmer waren lauter

geworden. Vater hatte sich wohl in ein anderes Programm gezappt. Und plötzlich hatte Jos das Gefühl: Ich möchte zu ihm runter, vielleicht können wir wenigstens zusammensitzen und fernsehen. Jos ging hinunter. Das Wohnzimmer war halbdunkel. Vater saß im Sessel, die Fernbedienung in der Hand, eine Flasche Wein neben sich. Jos erschrak immer, wie aufgedunsen er aussah. Das Gesicht fast weiß, die Haare grau. Dick, schwer und unbeweglich war er geworden.

Jos setzte sich in den zweiten Sessel und schon zappte sich Vater in den nächsten Film. Sah ein paar Bilder und hüpfte weiter durch die Programme. Das nervte Jos und er schlug vor, dass sie in der Fernsehzeitschrift nachgucken könnten, ob nicht irgendwo was Interessantes liefe.

Daraufhin stellte sein Vater den Fernsehapparat ab, weil er meinte, sie sollten mal miteinander reden. O Mist, dachte Jos, jetzt geht das wieder los. Manchmal fiel seinem Vater ganz plötzlich ein, dass man miteinander reden müsste. Irgendwas und irgendwie. Aber Jos hoffte: Bloß nicht, denn das wird katastrophal.

Schon fing es an. Sein Vater drehte den Sessel so, dass er Jos gegenübersaß. Dann setzte er sich zurecht, zündete sich mit dem Feuerzeug eine Zigarette an und trank einen Schluck Wein. Als Nächstes bot er Jos ein Glas an.

Jos wollte nichts trinken. Nun spreizte sich sein Vater, veränderte sich irgendwie, plusterte sich auf. Wirkte ungemein wichtig, wie er dasaß, und er gefiel sich in diesem Theaterstück, das hieß: Vater und Sohn reden miteinander.

Als Erstes wollte er wissen, was Jos in den Ferien vorhätte. Aber der wusste das selbst noch nicht. Vater wirkte plötzlich so aufgesetzt lebhaft. Seine Hände unterstrichen, was er sagte, und er machte breite Armbewegungen.

Scheiße, dachte Jos. Warum spreizt der sich so? Warum kann er nicht normal mit mir reden und sich normal benehmen? Und je aufgesetzter und lebhafter sein Vater tat, desto zurückgenommener wurde Jos.

Vater sprach über Schule, Leistung, Leben und was Menschen in den Ferien tun. So würde das weitergehen. Er würde dozieren, klug und anspruchsvoll finden, was er redete, und von einem Thema zum anderen hüpfen.

Er saß da und hielt seinen Vortrag, spielte Lehrer und Allwissenden. Thema des Vortrags: ungenau. Dauer des Vortrags: unbestimmt. Gefühl bei Jos: zum Weglaufen.

Jos wusste aus Erfahrung, dass in diesen Vorträgen immer irgendwelche Belehrungen und irgendwelche politischen und pädagogischen Weisheiten auftauchten, die Jos alle schon oft gelesen oder gehört hatte und die ihn schon oft gelangweilt hatten. Also ließ er das Gerede an sich vorbeirauschen, beobachtete aber seinen Vater.

Beim Reden guckte Vater Jos kaum an, auch nicht, wenn Jos versuchte ihm in die Augen zu sehen. Vater sah an ihm vorbei oder über ihn weg. Und Jos hatte wieder den Eindruck: Dieser dicke, blasse, rauchende Mann mit der tiefen Stimme, die den Raum sehr füllt, führt Selbstgespräche.

Bloß nichts dazu sagen!, warnte Jos sich selbst. Das würde den väterlichen Redeschwall nämlich nur anschwellen lassen und wesentlich verlängern.

Vater trank wieder einen Schluck Wein und redete weiter. Damit Jos irgendwie anwesend wirkte, nickte er mal kurz oder brummte: »Na ja.« Oder: »Mh.«

Als Vater irgendwann mit seinem Vortrag aufhörte, meinte er nach längerer Pause und einem weiteren Schluck Wein, dass es gut sei, wieder mal miteinander gesprochen zu haben.

Das darf nicht wahr sein, dachte Jos. Der merkt gar nicht, dass er alleine geredet hat. Diese Blindheit und Taubheit ärgerte Jos und das machte ihn noch stummer.

Nach diesem ersten Auftritt unter der Überschrift »Der väterliche Lebensberater« kam der zweite Auftritt, und der hieß »Väterliche Kontrolle«.

Er begann mit den Standardfragen, was die Schule macht und wie die Zensuren ausgefallen sind.

Er kümmert sich sonst einen Dreck um die Schule!, fuhr es Jos durch den Kopf. Besucht keinen Elternabend, nichts. Er will damit in Ruhe gelassen werden – und dann diese Fragen. Deswegen kam von Jos die Antwort, die er auf die Fragen schon lange geben wollte. Er sagte, dass die Schule seine Sache sei. Er schreibe die Arbeiten für sich. Er wolle für Zensuren nicht gelobt werden und keinen Ärger durch sie haben. Und er würde das tun, was sein Vater schon immer tut, nämlich nichts über sich und die eigene Arbeit erzählen.

Vater blies Zigarettenqualm zwischen sich und Jos und spielte mit der Fernbedienung. Einen Augenblick dachte Jos: Jetzt möchte er mich laut und leise stellen wie seinen Fernsehapparat. Möchte nach Lust und Laune in mich hineinsehen können.

Weitschweifig und gestelzt versuchte Vater mit ihm zu reden. Vielleicht dämmerte es ihm langsam, dass das Bedürfnis seines Sohnes nach dem »Wir-sollten-mal-miteinander-Sprechen« einfach null war. Er redete auf Jos ein, fuhr mit den Händen durch die Luft, versuchte überzeugend zu wirken, aber Jos wollte in Ruhe gelassen werden. Dabei war es geblieben. Übrigens ... Jos hätte durch seine Zensuren überhaupt keinen Ärger zu erwarten gehabt.

Vater redete weiter in den leeren Raum zwischen ihnen, füllte ihn mit Daueransprachen und Dauererklärungen. Dieses

Gerede schuf mehr und mehr Abstand und mehr und mehr Widerwillen bei Jos.

Merkwürdig war, dass Jos sich das alles anhörte und nicht einfach aus dem Wohnzimmer ging. Bei einem anderen hätte er das getan. Bei seinem Vater schaffte er es nicht. Da war doch irgendetwas zwischen ihnen, irgendeine fast zerstörte Verbindung, die das nicht erlaubte.

Jos unterbrach seinen Vater auch nicht und er sagte weiter kein Wort. Er wusste ja, dass Vater ihm eigentlich nicht richtig zuhören würde. Das konnte der nicht. Jos hatte das zu oft erlebt, genau wie seine Mutter.

Wenn jemand etwas sagte, waren das für seinen Vater eigentlich nur Stichwörter für einen weiteren Redeschwall. So ein Stichwort wurde aufgenommen, aus seinem Zusammenhang gelöst und daraus wurde dann irgendetwas konstruiert, was dem väterlichen Redebedürfnis diente.

Bei seinem Vater war Jos diese »Redetechnik« schon lange aufgefallen. Und je weniger Jos selbst redete und je mehr er zuhörte, desto mehr bemerkte er, dass viele genauso reden. Sie hören nicht zu, gehen auf nichts ein, benutzen den anderen nur als Stichwortgeber für ihre Monologe und sie unterbrechen einen beim Sprechen, denn es kommt ihnen völlig unwichtig vor, was ihr »Gesprächspartner« sagt.

Und wie sie reden: geschwollen, bemüht, verlogen, wichtigtuerisch, ungenau, rechthaberisch, erziehend. Furchtbar! Aus vielen Mündern kommt nichts anderes als Umweltverschmutzung durch Wörter und Sätze.

Vater redete immer noch, rauchte immer noch und bewegte dazu die Arme, als wollte er gleich davonfliegen. Mitten hinein sagte Jos plötzlich, dass er wegfahren wird ... morgen oder übermorgen. Er wollte hier raus.

Dieser Wunsch war in ihm immer größer geworden, je mehr sein Vater redete. Und jetzt hörte er damit auf. Er sah Jos an, sah ihn aber nur undeutlich hinter dem Zigarettenqualm zwischen ihnen. Er wedelte den Qualm beiseite, seufzte etwas, nickte und rutschte tiefer in seinen Sessel.

Jos erzählte nur noch, dass er mit dem Zug fahren wollte, Leute besuchen, irgendwen. Sein Vater schenkte sich ein Glas Wein ein. Die Fernbedienung hatte er weggelegt. Schließlich stand Jos auf. Bevor er aus der Tür ging, drehte er sich kurz um, als wollte er noch etwas zu seinem Vater sagen. Aber das tat er dann doch nicht.

Als er die Stufen hochging, hörte er den Fernsehapparat wieder. Jos setzte sich auf sein Bett, sagte leise: »Scheiße.« Und plötzlich liefen ihm die Augen über. Er heulte hemmungslos, weil das wieder so blöd gelaufen war.

Am nächsten Tag hatte Jos sich das Tramperticket von seinem ersparten Geld gekauft. Dann hatte er seinen Rucksack gepackt und war losgefahren. Nur weg.

Jetzt sitzt der große junge Mann auf dem Fußboden im Gang des Zuges neben der jungen Frau mit Fastpferdeschwanz. Er steht auf und sagt:

7

»Wir sind in Hannover.«

»Ja ... und gleich steigen wir aus«, sagt Gesa. Das Wort »aus« höre ich überdeutlich, es hallt in mir. Und es klingt nicht nur nach aussteigen, es klingt auch nach »Ende«, »Abschied«.

Gesa pustet wieder an ihrer Nase vorbei. Eine Haarsträhne fliegt aus der Stirn und fällt dann sofort zurück. Dieses Mal lacht keiner von uns darüber, grinst nicht mal und ich mache das auch nicht nach wie vorhin.

Ich stehe auf, nehme meinen Rucksack in die eine Hand. Gesa sitzt noch. Meine freie Hand ist knapp über ihrem Kopf und ich fahre den Mittelfinger aus, streiche damit an ihren Haaren vorbei, streife sie wie unabsichtlich. Das war wieder ein »Tschüs«.

Gleich darauf steht Gesa neben mir im langsamer werdenden Zug. Wir fahren mitten durch die Stadt an Häusern vorbei. ›So, das war's‹, sagt die erste Stimme in mir, die für Pessimistisches zuständige, die andere schweigt.

Ich spüre Gesas Arm an meinem Arm. Sie guckt aus dem Fenster und ich gucke sie an. Das tue ich unheimlich gerne. Trotzdem fährt der Zug einfach weiter und Gesa dreht sich zu mir und fragt: »Träumst du?«

Ich schüttle den Kopf und sehe im Glas der Zugscheibe wieder Gesas blassen Schatten. Die Abteiltür wird aufgeschoben, Leute drängen in den Gang, in dem wir stehen. Eng, voll und laut ist es plötzlich. Ich werde gegen Gesa gedrückt. Unsere Köpfe sind direkt voreinander, fast Nase an Nase. Die Berührung macht, dass mich Gesa anlächelt. Dazu murmelt sie einen Satz, den ich nicht verstehe, und ich frage: »Was hast du gesagt?«

Sie bleibt zwischen den Leuten stehen, stoppt damit den Verkehr und sagt laut mit offiziell klingender Stimme: »Es war schön, dich getroffen zu haben.« Dazu nickt sie und redet schnell weiter: »Gute Ferien auch noch, angenehme Reise und all so was, was frau sagt, wenn sie nicht weiß, was sie sagen soll, weil eigentlich nichts mehr zu sagen ist.«

Ein Mann guckt überrascht zu ihr, hat diese seltsamen,

schnellen Sätze mitgehört. Da hält der Zug und das Sprechen geht im Quietschen der Bremsen unter. Die Tür wird geöffnet. Und dann stehen wir auf dem Bahnsteig. Eine Stimme im Lautsprecher verkündet, was wir wissen: »Hannover! Hannover!«

Leute drängen an uns vorbei zu den Rolltreppen, während wir noch irgendwie unschlüssig dem Abschied entgegenstehen. Gesa guckt zur großen Bahnhofsuhr über uns und stellt fest: »Wir sind pünktlich.«

Ich sehe, dass wir eine Stunde zusammen waren, nicht länger. Diese Stunde mit Gesa verging noch dazu sehr schnell, schneller als Stunden sonst oft vergehen. Sie war voll schöner kleiner Augenblicke, die ich ja sammeln wollte.

Aber da ist noch ein anderes Zeitgefühl hinter diesem ersten, und das sagt: Mir kommt es vor, als wäre ich nicht erst eine Stunde mit Gesa zusammen. Ich kenne sie eigentlich lange, denn sie ist die Frau, die ich mir heimlich ausgemalt habe, die ich herbeigesehnt habe. So eine Freundin habe ich mir gewünscht. Als Idee, als Sehnsucht ist sie seit langem in mir.

»He, Alter, du denkst wieder, was!?«, fragt Gesa. »Das sieht ungeheuer aus, Denkmonster mit Runzelstirn bei der Arbeit. Aber was gibt's jetzt noch zu denken?«

»Ich hab gedacht, mir kommt es vor, als würde ich dich schon lange kennen.«

»Einundsechzig Minuten sind nicht gerade das, was man Ewigkeit nennt«, sagt Gesa. »Aber du meinst das anders?«

»Ja.« Ich erkläre ihr, wie ich das meine.

»Oh«, sagt sie und steht knapp vor mir. Ihr Gesicht ist weich und herzlich und sie sagt: »Du erzählst schöne Dinge, Jos. Aber ehrlich ... ich hab was Ähnliches gedacht.« Gesa verzieht ihr Gesicht und meint: »Das lässt sich jetzt auch noch leicht denken, denn wir kennen uns kaum. Vielleicht denkst du schon in der nächsten Stunde: Igitt! Die hab ich mir völlig anders vorgestellt. Die spinnt, ist fies, beknackt und ...«

»Wir haben keine Stunde mehr Zeit«, unterbreche ich sie. Gesa sieht wieder zur Uhr hoch und meint: »In zwölf Minuten fährt mein Zug.«

»Meiner in achtzehn Minuten.« Ins Schweigen danach sagt Gesa: »Also haben wir noch dreißig Minuten füreinander.« Dazu nickt sie und meint: »Mathe ist mein Lieblingsfach.«

Ich gucke sie erst verblüfft an, grinse dann und sie grinst auch. Inzwischen gehen die letzten Leute aus unserem Zug an uns vorbei. Ich bekomme einen Koffer ans Bein und jaule: »Au!«

»Abschiedsschmerz?«, fragt Gesa.

Ich schüttle den Kopf. Gesa fasst mit einer Hand an meinen Arm und sagt: »Ich hasse Abschiede.« Dazu nickt sie, denkt kurz nach und meint: »Aber stell dir vor, es gäbe keine. Man trifft Leute und bleibt immer mit allen zusammen. Das wär ein heilloses Geklammere und Geklumpe.«

»Stimmt«, sage ich. Aber ich denke noch etwas anderes: So viele Abschiede habe ich bisher gar nicht erlebt. Natürlich den von meiner Mutter, der war schlimm und traurig. Das mit Nadine, meiner letzten Freundin, endete eigentlich ohne wirklichen Abschied. Die hat sich aus meinem Leben geschlichen, weil ich so ein Trauer- und Schweigekloß wurde. Die Trennung habe ich gar nicht richtig gespürt. Na ja ... hab sowieso wenig gespürt in letzter Zeit.

Bevor ich weiter über Abschiede nachdenke, sagt Gesa: »He, der Zug rauscht in neun Minuten ab und der will mich mitnehmen.« Sie drückt meinen Arm kurz und fragt: »Bringst du mich zu meinem Zug oder soll ich dich zu deinem bringen?«

»Ich bring dich.«

Wir gehen zum Fahrplan. »Bahnsteig 9«, liest Gesa, dann fahren wir eine Rolltreppe runter und beim Bahnsteig 9 wieder rauf. Da wartet ihr Zug auch schon, der sie unbedingt nach Nürnberg und weiter mitnehmen will.

Wir stehen an der offenen Wagentür. »Nichtraucher«, liest Gesa mit ihrer tiefen Stimme. »Hier ist es okay. Und ruf mich irgendwann mal an, wenn du magst.«

Ich nicke. Gesa steht vor mir, ihr Rucksack schleift fast auf dem Boden. Ich stelle meinen ab und nehme Gesa in den Arm. »Tschüs«, verabschiede ich mich und lasse sie los. »Tschüs«, verabschiedet sie sich und steigt ein. Ich will mich umdrehen und weggehen, da sagt sie: »Kannst eigentlich noch bis zu meinem Platz mitkommen.«

Ein Blick zur Bahnhofsuhr. In drei Minuten fährt ihr Zug. Also schnell. Gesa geht voran, drückt die Tür auf. Sie geht an den besetzten und leeren Sitzplätzen vorbei, zögert einmal kurz, setzt sich aber nirgends. Es wird knapp für mich. Ihr Zug fährt gleich los.

Halt! Hier ist der Zug zu Ende. »Du musst raus«, sagt Gesa. »Oder kommst du mit nach Streitberg?«

»Eigentlich wollte ich nach Oldenburg.« Da dröhnt die Lautsprecherstimme los: »Bitte einsteigen. Türen schließen selbsttätig. Vorsicht bei der Abfahrt.«

Gesa öffnet die Tür. Ich schiebe mich an ihr vorbei, springe die Stufen runter und stehe auf dem Bahnsteig. Dort drehe ich mich um und staune …

Gesa steht neben mir und meint: »Der Zug gefällt mir nicht. Der ist doof. Ich nehme den nächsten und bring dich zum Zug.« Das sagt sie sehr laut, brüllt es fast, denn der abfahrende Zug dröhnt mächtig. Wir sehen ihm nach und Gesa sagt: »Tschüs, Zug. Hallo, Jos.«

»Noch sechs Minuten«, sage ich. Wir nehmen unsere Rucksäcke und gehen wieder Richtung Rolltreppe. »So haben wir länger was vom Abschied«, meint Gesa. »Ich bin nämlich irre vergnügungssüchtig.«

Ich bleibe stehen, das ist fast eine Notbremsung, und die lässt auch Gesa bremsen. Sie fragt: »Was ist?«

»Musst du zu den Leuten nach Streitberg fahren?«

Wir haben uns zueinander gedreht, Gesa zieht erst die Nase kraus, dann die Stirn und antwortet: »Eigentlich muss frau nichts müssen, hab ich vorhin schon mal gesagt. Es sind Ferien, also muss-freie Zeit … eigentlich.«

»Und uneigentlich?«

»Darauf gibt's die gleiche Antwort. Ich könnte später fahren. Aber ich hab da auch 'ne Frage: Musst du zu den Leuten nach … wie heißt das Kaff?«

»Oldenburg. Ist aber kein Kaff. Ist 'ne freundliche kleine Stadt.«

»Also, musst du in diese freundliche kleine Stadt? Gibt's dort irgendein wahnsinnig wichtiges Date, das du erst einmal nienicht und nimmermehr sausen lassen kannst, für einige Stunden … oder so?«

»Gibt's nicht. Ich fahr hin, weil mir nix Besseres eingefallen ist.«

»Ich wär was Besseres?«, fragt sie.

»Logo. Also, der Zug da drüben fährt ohne mich.«

Gesa nickt, dann dreht sie sich um. »Meinen Zug sehe ich schon gar nicht mehr, dabei säße ich beinahe drin«, sagt sie.

Ihr Zug ist nicht mal mehr als Zugpunkt in der Ferne sichtbar. »Der fährt irgendwo in einer anderen Wirklichkeit«, fällt mir ein.

»Ach, du kleiner Philosoph«, sagt sie. »Und wir stehen jetzt in dieser Wirklichkeit.« Gesa stampft auf den Boden. »Stehen hier und haben plötzlich Zeit nach diesem Fastabschied.«

Ich gucke wieder mal zur Bahnhofsuhr und verkünde: »Wir sind schon fünfundsiebzig Minuten zusammen.«

»Das ist so was wie 'ne diamantene Hochzeit«, sagt Gesa. Unsere Rucksäcke liegen neben uns auf dem Boden. Gesa geht zwei Schritte zurück, breitet die Arme weit aus. Ich gucke sie fragend an und sie erklärt: »Das wird 'ne Privatvorstellung für dich.«

Bevor sie die gibt, nimmt sie die Arme noch mal runter, zupft ihr T-Shirt zurecht, zieht hier und da und murmelt: »Frau muss ordentlich aussehen bei ungewöhnlichen Anlässen.« Dann breitet sie die Arme wieder aus. Ich sehe ihr gespannt zu. Nun strahlt Gesa, schiebt ihre Unterlippe besonders weit vor, gleichzeitig nach oben und links. Ihre Oberlippe zieht sie etwas zurück. Sie pustet nach oben, vorbei an ihrer Nase. Macht das diesmal alles besonders ausführlich und toll.

So pustet sie die Haarsträhne auf ihrer Stirn nach oben, die sofort wieder zurückfällt. Jetzt fahre ich meine Arme aus, puste genau wie Gesa. Und vom nächsten Gleis dröhnt eine Lautsprecherstimme: »... Türen schließen selbsttätig. Vorsicht bei der Abfahrt.«

Das ist der Zug, mit dem ich fahren wollte. In mir wächst ein irres Gefühl. Ich könnte schreien und lachen. Zu diesem Gefühl jubelt die optimistische Stimme in mir: ›Du bist wirklich ausgestiegen. Sehr gut, Junge. Wär auch zu dämlich gewesen, von Gesa wegzufahren.‹ Ich nicke so vor mich hin. Gesa guckt irritiert, fragt aber nichts. Trotzdem erkläre ich ihr: »Eben hat sich einer in mir mit mir unterhalten. Ich hab gefunden, dass er Recht hat, deswegen hab ich genickt.«

»Hm«, macht Gesa und fragt: »Hast du noch mehr in dir als den einen?«

»Erzähl ich dir vielleicht irgendwann mal.«

»Interessanter männlicher Mensch, dieser Mensch vor mir«, meint Gesa. »Sehr multiple Persönlichkeit und die werde ich weiter erforschen.«

Gesa wischt mit der einen Hand das Leder ihres Rucksacks ab, der auf dem Boden stand. Ich mache ihr das nach, dann schwingen wir die Rucksäcke mit der anderen Hand fast synchron über die Schulter und gehen los. Dabei ist eine Hand von mir frei, die streift beim Gehen Gesas freie Hand. So pendeln unsere Hände wie zwei gegenläufige Gewichte aneinander vorbei, berühren sich dabei noch mal und noch mal.

Jede dieser leichten Berührungen ist aufregend und diese Aufregung verlangt plötzlich: ›Nimm ihre Hand! Los!‹

Wir gehen, noch schwingen ihre linke und meine rechte Hand frei durch die Gegend. Die Aufregung wird stärker und damit wird auch dieses ›Nimm ihre Hand! Worauf wartest du noch?‹ in mir immer lauter.

Blitzschnell werden alle möglichen Informationen in meinen biochemischen Computer unter der Schädeldecke eingegeben. Die Informationen heißen zum Beispiel: Überstandener Abschied. Ferien. Bahnhof. Sonne. Eine tolle Frau neben mir. Ihr Strahlen. Ihre Art überhaupt. Nähe. Ein irres Gekribble in mir.

Aus diesen unterschiedlichen Informationen formt mein biochemischer Computer unter Zugabe wirbelnder Hormone den Befehl: ›Jetzt nimm ihre Hand! Verdammt! Stell dich nicht so bescheuert an!‹

Die Neuronen glühen, die Hormone rasen. Der Befehl ist ganz deutlich und laut und er hat die Scheu wegbefohlen. Nun pendeln unsere Hände nicht mehr gegenläufig aneinander vorbei.

Die Hände sind still geworden, haben ihre Pendelbewegung plötzlich gestoppt. Meine rechte hält ihre linke. Erst ganz leicht und vorsichtig, dann streicht mein Mittelfinger über ihre reglose Hand. Jetzt streicht einer ihrer Finger über meine Hand.

Ein Streich- und Streichelkonzert mehrerer Finger beginnt. Die Finger sind total beschäftigt, überbeschäftigt, erforschen neue Gegenden. Schließlich halten sich unsere Hände, drücken sich, schmusen miteinander.

Na ja, nebenbei gehen wir natürlich auch, sind schon auf den Stufen von den Bahnsteigen zur Unterführung. Da sagt Gesa: »Übrigens … du hältst meine Hand. Hast du's gemerkt?«

»Klar. Muss wohl so sein.«

»Hm«, brummt sie mit ihrer tiefen Stimme. »Muss so sein. Mir ist auch danach.«

Inzwischen sind wir die Stufen runtergegangen. Hier könnte man nach rechts oder links abbiegen. Wir bleiben kurz stehen, bis Gesa einfällt: »Rechts ist der Hauptausgang.« Und sie zieht mich in diese Richtung.

Auch hier sind jede Menge Leute unterwegs. Wir gehen durch die lange und breite Halle, von der die Aufgänge zu den Bahnsteigen hochführen. Überall gibt es kleine Läden.

Eigentlich sehe ich das alles gar nicht richtig. Das steht herum wie eine Kulisse, in der wir gehen. Ich sehe wenig, spüre viel. Spüre Gesas Hand in meiner, dieses neue Gefühl, so mit ihr zu gehen, Hand in Hand und sehr nah. Und ich staune, dass ich gar nicht so irre viel Anlauf brauchte, um Gesas Hand zu nehmen.

»Wollen wir im Bahnhof frühstücken?«, fragt Gesa.

»Au ja, hab tierischen Hunger.«

Plötzlich bleibt Gesa zwischen den hastenden Menschen stehen und ich stehe auch. Gucke sie fragend an.

Sie nimmt ihre gehaltene und haltende Hand hoch und damit auch meine. Die beiden Hände sind zwischen unseren Köpfen, lassen sich nicht los. Gesa sieht sie erstaunt und genau an, dreht sie hin und her. Dann stellt sie fest: »Du hast schöne Hände, Jos, auch ganz schön freche. Haben einfach zugefasst. Grabsch!«

»Ja«, sage ich.

»Brauchst du sonst länger für so was?«, fragt Gesa. Ich antworte wieder: »Ja.« Wir stehen immer noch mit den Händen in Kopfhöhe herum. Stehen wie eine kleine Insel im Bahnhofsgewusel. Gesa zieht ihre Hand aus meiner. Kommt noch einen Schritt näher, steht dicht vor mir. Ihre großen Augen gucken aus ihrem lächelnden Gesicht in meine Augen. Diese etwas schrägen Augen mit dem tieferen Braun als ihr Gesicht.

Gesa nimmt meinen Kopf zwischen ihre Hände, geht auf die Zehenspitzen. Ihren Kopf biegt sie zurück, sieht mich noch mal an und im nächsten Augenblick küsst sie mich auf die Wange. Ihre Lippen lässt sie kurz da, weich und warm spüre ich sie. Dann sagt sie ganz ernst: »So … jetzt hab ich zum ersten Mal einen Jungen geküsst, bevor er mich geküsst hat. Das wollte ich unbedingt mal … Eigentlich hätte ich die Stelle bei dir vorher mit Süßstoff einreiben sollen, dann wär's schön süß gewesen.«

Ich gucke wohl etwas verblüfft und sie fragt: »Stört's dich?«

»Nein, überhaupt nicht. Ich find's toll.« In mir ist ein strahlendes Gefühl. Ich könnte hochspringen, bin irre froh und ich sage: »Ich fühl mich … wie …«

»Na … wie?«, fragt Gesa.

»Als hätte ich einen schönen Schwips.«

»Ich mach dich besoffen?«, fragt sie etwas spöttisch.

»Egal. Ach weißt du … ich fühl mich einfach glücklich, obergut und spitzenmäßig.«

»Saustark«, sagt sie. Wir stehen immer noch eng beieinander und ich ziehe Gesa enger an mich. Lege einen Arm um ihre Schulter, den anderen um ihre Taille. Mensch, ich habe Gesa in den Armen, spüre ihren Körper und spüre dadurch auch meinen sehr deutlich.

Als jemand gegen uns stößt, lösen wir uns voneinander. Ich tauche aus unserer Versunkenheit auf, stehe da … fast wie betrunken. Wirklich, Gesa könnte mich süchtig machen.

Sie nimmt meine rechte Hand in ihre linke und wir gehen weiter. Leise sagt Gesa: »Ich glaub, ich bin in einen Liebesfilm gekommen. Live. Der Anfang gefällt mir, der Hauptdarsteller auch. Mal sehen, wie der Film weitergeht.«

Als Antwort darauf bleibe ich stehen und ziehe sie noch mal an mich. Spüre Gesa kribblig nah und küsse sie auf die gleiche Stelle, auf die sie mich geküsst hat. »Im Drehbuch stand … knutschen«, flüstere ich in ihr Ohr.

»Cleverer Regisseur«, flüstert sie. »Aber jetzt will ich frühstücken. Halt! Vorher ruf ich schnell die Leute in Streitberg an und erzähle ihnen, dass sie erst mal auf mich verzichten müssen.«

»Und ich ruf in Oldenburg an.« Frage ich Gesa jetzt, wie viel Zeit sie sich für uns nimmt? Nein, das will ich nicht, das soll sich einfach so entwickeln, ohne Planung.

Weiter vorne warten mehrere unbesetzte Telefonzellen und gleich darauf steht jeder von uns in einer dieser saunaheißen Kabinen. Durch die Glasscheibe der nächsten Zelle sehe ich Gesa und wieder denke ich: Eine tolle Frau.

Sie guckt zu mir, zieht die Brauen hoch, drückt eine Hand an die Scheibe. Mit der anderen wühlt sie in ihrem Rucksack. Und ich suche in meinem Rucksack die Telefonnummer von Tante und Onkel.

Da habe ich den Zettel mit der Nummer. Ich wähle und höre gleich darauf die Stimme meiner Tante: »Wiesner.« In dem Augenblick überlege ich: Was erzähle ich ihr? Ich fange mal einfach an, und zwar mit: »Hallo, hier ist Jos.«

»Schön, dass du dich meldest. Wir haben vorhin darüber gesprochen, dass du bestimmt bald anrufen wirst und uns sagst, wann wir dich vom Bahnhof abholen sollen. Also … wann kommst du?«

»Äh … das ist so … Ich kann erst mal nicht kommen.«

»Oh … schade.«

»Weißt du, es ist was dazwischengekommen.« Mehr fällt mir im Augenblick nicht ein. Irgendwie mag ich meiner Tante nicht erzählen, dass ich Gesa getroffen habe und dass ich erst mal noch mit ihr zusammenbleiben möchte. Keine Ahnung, wie lange. Vielleicht ein paar Stunden. Das alles geht meine Tante eigentlich nichts an.

Sie wartet darauf, dass ich mehr erzähle. Aber als sie nichts hört, sagt sie: »Ruf uns an, wenn du weißt, wann du kommst. Wir freuen uns auf deinen Besuch.«

»Mach ich. Tschüs.« Ich hänge den Hörer ein. Eigentlich sind diese Tante und dieser Onkel meine Lieblingsverwandtschaft. Ich mag sie. Aber mir ist halt wirklich was dazwischengekommen: Gesa, die da drüben an der Scheibe steht und zu mir guckt. Ihr Gespräch war wohl auch ziemlich kurz.

Vor den Telefonzellen erzählt Gesa: »Ich hab gesagt, ich kann erst mal nicht zu ihnen fahren, weil mir was dazwischengekommen ist.« Sie lacht, ich lache mit und erzähle, dass ich meiner Tante dasselbe gesagt habe.

»Sehr junge, sehr hübsche Tante?«, fragt Gesa.
»Sehr nett, schon älter und mit Onkel.«
»Okay«, meint Gesa. »Gehen wir.« Wieder greifen unsere Hände zu und halten sich fest. »Unsere Hände mögen sich. Und das nach so kurzer Zeit«, meint Gesa.
»Wollen wir im Intercity-Restaurant frühstücken?«, frage ich.
»Können mir machen.«
Wir gehen ein paar Schritte. Da fällt mir eine Melodie ein und die singe ich. Entsetzt springt Gesa von mir weg und sagt: »Eigentlich mag ich deine Stimme. Aber Jos, wenn du singst … o Mann … das klingt grauenhaft. Völlig daneben. Du meinst wahrscheinlich dieses Lied?«
Nun singt Gesa ein paar Töne und die klingen gut. »Genau das Lied meine ich«, sage ich und beginne noch mal damit.
»Aufhören!«, ruft Gesa. »Ich bin musikalisch, dein Gejaule halt ich nicht aus. Weißt du, Jos, sing das Lied nicht, erzähl's mir.«
»Klingt es so schlimm?«, will ich wissen.
Gesa behauptet: »Sogar noch schlimmer. Das war der ›Totale-Horror-Daneben-Gesang‹. Umwerfend.«
Sie drückt meine Hand tröstend und wir gehen die vielen Stufen zum Intercity-Restaurant hoch. Ich freue mich aufs Frühstück mit ihr. Dann öffne ich die Tür des Restaurants.

8

Gesa und Jos stehen an der Tür und ihre Blicke suchen einen freien Tisch, denn sie wollen alleine sitzen. Aber dieses große Restaurant ist jetzt am Beginn der Ferienzeit voller Urlauber. Überall stehen Koffer, sitzen Erwachsene und Kinder. Die meisten Gäste wollen schnell bedient werden, aber die Kellner und Kellnerinnen schaffen es nicht schnell genug. Laut ist es und die Stimmung wirkt gereizt.

Hinten in der Ecke wird ein Tisch frei. Zwischen den vielen Urlaubern, die auf Züge warten oder Verspätungen überbrücken, sitzen die beiden nun alleine an ihrem kleinen Tisch. Sitzen sich gegenüber, ihre Köpfe zueinander gebeugt, und wieder fassen sich ihre Hände an, als müssten sie sich beweisen, ja, der andere ist wirklich da, ist berührbar und nicht geträumt.

Gesa und Jos sind eingetaucht ins Nahbeieinandersein. Sie haben Anschlusszüge wegfahren lassen, sind ausgestiegen und haben sich Zeit genommen oder gegeben. Die zwei reden, sehen sich an, lächeln, lachen. Nennen sich immer wieder Orte, wo sie sich schon früher mal getroffen haben könnten, vom Kindergarten bis zur Tanzschule.

Eine Kellnerin kommt. Sie bestellen Kaffee und belegte Brötchen und Jos ein Eis dazu. Die Kellnerin nickt, lächelt dem freundlichen Paar so etwas wie ein Komplizenlächeln zu und geht.

Jos muss zur Toilette. Im Vorraum hängt ein Automat mit Präservativen. Einen Augenblick bleibt der junge Mann davor stehen und guckt sich das Angebot an. Als er später aus dem Toilettenraum kommt, erschrickt er, denn er sieht Gesa nicht. Dann setzt sich jemand, Leute gehen auseinander und Jos sieht

Gesa wieder. Sie blickt ihm lächelnd entgegen und hebt eine Hand.

Wieder erzählen sie, berühren sich, berühren sich auch mit dem, was sie erzählen. Und Jos spürt, wie schön das Zusammensein mit Gesa für ihn ist.

Er merkt, wie gut sie zuhören kann und wie gerne er ihr zuhört. Sie fragt nach, will mehr von ihm wissen und er von ihr. Sie sind interessiert aneinander, neugierig aufeinander, fast gierig neugierig. Tauchen ein Stück ins Leben des anderen ein, tun das lustvoll und vergnügt. Manchmal lachen sie beim Erzählen so laut, dass die Leute an den Nachbartischen erstaunt zu ihnen gucken.

Alles geht ungewöhnlich leicht zwischen ihnen, so verliebt leicht. Das Reden. Das Berühren. Ja, offensichtlich sind sie verliebt, eigentlich kann das jeder erkennen.

Plötzlich fällt Jos ein: Es ist nichts zwischen uns, was das Sprechen schwierig macht. Diese Schwierigkeiten hatte er ja mit allen möglichen Leuten lange Zeit erlebt. Zwischen Gesa und ihm fehlen die Hindernisse und Barrikaden beim Sprechen. Sie wollen sich zuhören und begreifen. Sehr schnell ist eine Offenheit und Lockerheit entstanden, die Jos lange Zeit gefehlt hatte.

Gesa und Jos bekommen ihr Frühstück. Sie trinken Kaffee, reden, essen ihre Brötchenhälften, essen Eis, krümeln und reden weiter. Bei diesem Frühstück vergisst Gesa ihre Diät völlig.

Sie erzählt von zu Hause, wie sie mit den Eltern zurechtkommt. Gesas Eltern hatten ihre Übervorsichtigkeit, Überbehütung und Überängstlickeit an ihrem älteren Bruder ausgetobt. Dem hatten sie wenig erlaubt und der hatte sich viel ertrotzen und erkämpfen müssen. Das Längeraufbleiben. Das höhere Taschengeld. Das Abends-länger-Weggehen. Die Freundin. Die Freiheiten eben. Dieses Spüren, die Erwachsenen haben Vertrauen zu einem, weil sie Vertrauen zu sich und ihrer Erziehung haben.

Ihr Bruder, der Philipp, war halt das Versuchskind der Eltern gewesen. Dem hatten sie vieles verboten und irgendwann dann doch erlaubt. Bei ihr war die Luft raus gewesen, da haben sie das Verbieten meistens gar nicht erst probiert. So waren viele unnötige Kämpfe vermieden worden und eigentlich ist es harmonisch zwischen ihren Eltern und ihr.

Gesas älteren Bruder hat Jos am Bahnhof gesehen. Das war also nicht ihr Freund gewesen. Einen Freund hat Gesa zurzeit nicht, jedenfalls keinen dauerhaften. Sie geht mal mit dem weg, dann wieder mit einem anderen. Alle ganz nett, aber nicht mehr.

Gesa hatte zwei Freunde gehabt. Mit dem zweiten war sie fast zwei Jahre zusammen gewesen. Schließlich hatte er aber eine andere lieber gemocht und Gesa war zum ersten Mal eifersüchtig gewesen, sogar sehr.

Davon erzählt sie länger, bis sie sich schließlich unterbricht, weil sie mehr von Jos erfahren möchte.

Nun erzählt Jos, dass er mit seinem Vater alleine lebt und dass das schwierig ist, weil sie sich eigentlich fremd sind. Jos versteht nicht, was in seinem Vater vorgeht. Er erzählt von den langen Reden seines Vaters und dass der ihm irgendwie behindert vorkommt. Ein Haufen behinderter Gefühle. Anders hat Jos ihn nie erlebt, auch früher nicht, als seine Mutter noch lebte. Vom Tod seiner Mutter erzählt Jos nur kurz. Von seiner letzten Freundin Nadine erzählt er und von Kathrin mit h, die davor seine Freundin war, und von Sara ohne h. Jede war völlig anders und Jos ist mit jeder und durch jede jedes Mal etwas anders geworden. Jede hat ihn in einen anderen verwandelt, der er auch vorher schon tief in sich und versteckt gewesen war. Bloß ... er hatte das nicht gewusst.

Sie erzählen und fragen weiter, bis die Kellnerin kommt, und sie bezahlen. Hand in Hand gehen sie aus dem Lokal, ihre Lederrucksäcke auf dem Rücken. So stehen sie vor dem IC-Restaurant. Gesa zeigt die tiefe Treppe hinunter, die in die Bahnhofshalle führt, und fragt:

9

»Siehst du den Fotoautomaten?« Ja, ich sehe ihn und nicke. »Komm mit!«, ruft Gesa. »Wir lassen Fotos von uns machen, als Andenken.«

Bevor ich etwas sagen kann, rennt sie die Treppenstufen runter und zieht mich hinter sich her. Stufe für Stufe poltern wir auf die durcheinander wuselnden Leute in der Bahnhofshalle zu. Dann drängen wir uns zum Fotoautomaten. Ich schiebe den Vorhang zurück und gucke in die Kabine. »Da soll ich mich reinsetzen?«, frage ich.

»Klar«, antwortet Gesa und mir fällt ein: »Wozu brauchen wir Erinnerungsfotos? Wir sind doch zusammen, und zwar schon über zwei Stunden.«

»Aber irgendwann nicht mehr und vielleicht ist das schon bald«, sagt Gesa trocken und guckt mich ernst und groß an. »Also, gehst du zuerst rein oder ich?«

Ich zucke mit den Schultern, will eigentlich wirklich keine Fotos. Die kämen mir vor wie ein Stück Abschied und daran möchte ich nicht denken, wo wir uns gerade kennen lernen.

Ziemlich störend stehen wir hier herum und immer wieder stößt mal jemand gegen uns. Gesa beachtet das nicht, streicht mit beiden Händen über ihre Haare, sieht an sich runter und zupft an ihrem blauen T-Shirt. Dazu sagt sie laut über das Getöse: »Frau muss schön sein, weil ... die Konkurrenz ist groß und schläft nienicht und nimmermehr. Schnappt sich die besten männlichen Exemplare weg, wenn frau nicht aufpasst, auf Schönheit ... und alles.«

»Ach so ist das«, sage ich, streiche über meine kurzen Haare und zupfe am T-Shirt. Dazu meint Gesa: »Nützt bei dir nichts. Na ja, Mann kann sowieso aussehen wie Mist. Hauptsache, er stinkt nicht so und hat Kohle.«

Sie lacht, kommt näher, schnüffelt an meinem Hals und sagt: »Geruch ist in Ordnung. Wie ist es mit der Kohle? Genug davon im Keller? Hm?«

Wir stehen immer noch am Fotoautomaten und haben nicht bemerkt, dass sich jemand an uns vorbeigedrängt hat, um sich fotografieren zu lassen. Gesa flüstert mir ins Ohr: »Der wird auf den Fotos bestimmt nicht so schön, wie wir es geworden wären.«

»Komm, gehen wir«, schlage ich vor. »Ich fänd's wirklich besser, wenn wir später Fotos machen lassen, so als Abschiedsgeschenk und Erinnerung.«

»Hast ja vielleicht Recht ... obwohl das bei Männern 'ne absolute Ausnahme ist«, meint Gesa.

Ich will schon gehen, da fasst sie mich am Arm und sagt: »Weißt du, ich mach mir einfach selbst ein Bild von dir.« Ich stehe vor ihr und gucke sie fragend an, habe keine Ahnung, was sie meint. Gesa erklärt: »Ich will dich angucken, ganz genau. So fotografiere ich dich, na ja … ich halte dich als Bild fest, für mich und in mir. Das Bild soll ein Test sein. Ich will wissen, wie's mir geht, wenn ich dich ansehe … was ich dabei spüre, meine ich.«

»Jedenfalls ist das billiger als ein Foto«, sage ich.

»Gefühlloser Geizhals«, meint Gesa. Sie stellt sich ein paar Schritte entfernt von mir neben den Fotoautomaten an die Wand und ich stelle mich an die gleiche Wand. Hier stehen wir keinem im Weg. Gesa sieht zu mir, geht einen Schritt zurück und sagt: »Achtung, Aufnahme!«

Ganz gerade steht sie. Ich stehe genauso und wir gucken uns an. Gesa guckt ernst, will wohl kein geschöntes Bild von sich abgeben. Zuerst grinse ich, dann werde ich auch ernst.

Ich sehe ihr braunes, schmales Gesicht, in dem alles so gut zusammenpasst. Die braunen großen Augen, die freundlichen, nicht so schmalen Lippen. Die schmale, etwas gebogene Nase. Und über diesem weichen Gesicht braune Haare mit der Ahnung eines Pferdeschwanzes.

Ich gucke in ihre Augen, die in meine gucken. Im Augenblick schielt Gesa überhaupt nicht. Na ja, das habe ich sowieso erst einmal gesehen.

Ich halte es nicht mehr aus, ihr in die Augen zu gucken, und muss wegsehen. Mein Blick streift ihren Hals und ein paar weiche kurze Haare unterm Ohr. Dann wandert der Blick tiefer zu ihrem blauen T-Shirt und dem spannenden, schön gewölbten Inhalt.

»He«, sagt sie leise. »Don't touch.«

Ich bin verlegen und mein Blick wandert wieder hoch zu ihrem Gesicht. Ihre Augen lächeln ein wenig und ihr Lächeln macht dieses Gefühl in mir noch deutlicher, das warm ist, zärtlich und begeistert.

Gesas Lächeln breitet sich über ihr ganzes Gesicht aus. Da schiebt sie plötzlich die Zunge zwischen den Lippen vor, streckt sie mir entgegen und fragt: »Aufnahme beendet?« Ich nicke und sie sagt mit ihrer dunklen Stimme, die mir immer wieder auffällt: »So ... ich habe auch ein Bild von dir. Übrigens ...« Sie unterbricht sich und ich frage: »Ja?«

»Ach, ich wollte sagen, mir gefällt, was ich gesehen habe. Du bist gut aufgenommen in mir.«

Wir stehen voreinander. Sie guckt an mir runter, beguckt mich von oben bis unten und sagt: »Alles okay.« Jetzt frage ich: »Weißt du eigentlich, wie schön du aussiehst?«

»Nein«, antwortet sie etwas verlegen und guckt an mir vorbei.

»Komm«, verlangt sie und wir gehen zwischen all den Leuten weiter in die Eingangshalle. Dabei drückt sich Gesa kurz an mich und ich spüre ihre Hüfte an meiner.

Mensch, ich mag Gesa sehr. Bin wirklich total verknallt! So schnell ging das noch nie. Von null auf hundert in zweieinhalb Stunden! Ratzfatz! Sicher, ich habe gehört, so was soll's geben, aber erlebt habe ich es bisher nie. Und ich glaube, Gesa mag mich auch. Ob sie genauso verknallt ist wie ich?

»He, was wollen wir machen?«, fragt Gesa.

»Lass uns rumlaufen und einfach zusammen sein.«

»Klingt gut«, meint Gesa. »Und hast du 'ne Idee, wann du weiterfahren willst?«

Ich schüttle den Kopf, nehme ihre Hand und wir gehen los. Plötzlich fällt mir ein: Ich habe die zwei Stimmen in mir länger nicht mehr gehört. Die sind ruhig geworden, seit ich wieder rede. Und statt der Stimmen höre ich jetzt Musik von irgendwoher. Gesa hört sie auch. Wir bleiben stehen, fahren unsere

Peilantennen aus und horchen, woher die Töne kommen, die interessant klingen, irgendwie selbst gemacht.

Gesa zeigt auf eine Brüstung im breiten Gang hinter der Bahnhofsvorhalle. Leute lehnen an ihr und gucken nach unten und von dort kommt die Musik, wie aus einem riesigen Schallloch. »Da ist 'ne unterirdische Fußgängerzone«, erkläre ich.

»Kennst dich aus, sogar in Hannover. Bist halt schon ziemlich in der Welt rumgekommen«, meint Gesa etwas spöttisch. »Na ja, solche Leute sind als Stadtführer nützlich.«

Zwischen den Zuhörern finden wir einen freien Platz an der Brüstung und gucken in die unterirdische Straße. Eine junge Frau spielt dort unten Gitarre, spielt gut und singt dazu. »Ich glaub, das ist irische Musik«, sagt Gesa. Neben ihr steht ein junger Schwarzer, der das gehört hat, und er sagt: »Ja, das sind irische Lieder.«

Wir sehen auf die Frau hinunter, die da barfuß steht. Sie trägt einen schwarzen langen Rock und eine schwarze Bluse. Auf dem Boden vor ihr liegt ein Gitarrenkasten und in dem sammelt sie Münzen, die die Zuhörer nach unten werfen.

Ihre starke Stimme übertönt die anderen Geräusche. Die Sängerin guckt nicht zu uns hoch, spielt und singt wie für sich selbst. Es sieht aus und klingt, als würde sie tief in ihrer Musik stecken.

Ich verstehe nicht, was sie singt. Aber ich habe das Gefühl, dass die Musik im Augenblick zu uns passt. Gesa bewegt sich ein wenig im Rhythmus des Liedes. Die Stimme der Sängerin klingt jetzt lauter und so, dass ich sie mit dem ganzen Körper fühle, klingt zärtlich und wild, zum Heulen schön.

Gesa lehnt neben mir. Wir spüren uns und bewegen uns nun gemeinsam. Werden leicht und langsam von der Musik bewegt.

Gesas rechte Hand sucht meine linke. Ein Finger streichelt

einen meiner Finger im Takt der Musik. Ich ziehe die Hand weg und lege meinen Arm um Gesas Schulter, will sie nahe spüren. Wir stehen eng da und hören nach unten.

Der junge Schwarze neben Gesa lächelt, zeigt zur Sängerin und zu uns und sagt: »Schön.« Ich nicke und Gesa sagt zu mir: »Sehr schön sogar.« Mir fällt ein: Solche schönen Augenblicke wie eben will ich ja sammeln. Jetzt flüstert Gesa: »Aber Jos, sing bitte nicht mit, es soll schön bleiben.«

Das Musikstück ist zu Ende. Einige Zuhörer lösen sich von der Brüstung und gehen weiter, ein paar Leute werfen Münzen nach unten zur Sängerin. Eine landet genau in ihrem Gitarrenkasten, die Frau guckt hoch und lächelt. Ich werfe auch eine Mark, die springt auf und rollt ein Stück weg.

Dann singt die Frau wieder, und zwar ein leises Lied. Wir hören zu, bis sie ihre Gitarre beiseite legt und Pause macht. »Das war ein Konzert für uns«, sagt Gesa. »Weißt du, die singt und spielt wirklich gut. Es muss toll sein, so was zu können.«

Wir gehen an dem jungen Schwarzen vorbei, der »tschüs« sagt, und wir winken ihm zu. Die Rucksäcke tragen wir wieder auf dem Rücken. »Wollen wir sie ins Schließfach legen?«, frage ich. »Dann haben wir die Hände frei.«

»Die haben wir auch so frei«, sagt Gesa. »Und wofür willst du sie frei haben? Wichtige Frage … und die Antwort?«

Ich grinse und zucke mit den Schultern. Gesa sagt: »Das Schließfach ist trotzdem 'ne gute Idee.« Und gleich darauf verstauen wir unsere Rucksäcke.

Wir gehen aus dem Bahnhof und stehen hinter einem hohen Reiterstandbild. Neben seinem Sockel warten Leute. Ich spiele wieder Stadtführer und erkläre Gesa: »Hier verabredet man sich in Hannover. Die Leute sagen: Wir treffen uns unterm Schwanz.«

»Oh«, meint Gesa grinsend und ich frage: »Gehen wir nach links, rechts oder geradeaus?« Gesa guckt am Reiterstandbild des längst verblichenen Landesvaters mit Pferd vorbei und entscheidet: »Geradeaus.«

Auf dem Platz vor dem Bahnhof sitzen etliche Trinker auf Treppenstufen, lassen sich von der Sonne bestrahlen. Punks sind dabei, auch ein paar ältere Männer mit roten, verquollenen Köpfen und eine Frau. Flaschen liegen auf den Treppen und zwei große Hunde laufen herum.

Es ist eine eigene Welt vor dem Bahnhof, durch die wir gehen. Eine, in der es nach verschüttetem Schnaps stinkt und in der gestylte Leute an völlig abgerissenen vorbeigehen. Irgendwo gibt es hier garantiert auch Heroin und all das Zeug zu kaufen. Allerdings sehe ich nichts davon, wahrscheinlich weil zwei Polizisten herumstehen. Und der Landesvater betrachtet das alles interessiert von oben.

Ich gucke einen alten Mann an, dessen Nase und Stirn völlig verschorft sind. Er guckt zurück und verlangt laut: »Glotz nicht.«

Dann sind wir an den Trinkern vorbei. Gesa hat meine Hand losgelassen und sagt: »Irgendwie hatte ich eben Schiss, als könnte jeden Augenblick was passieren. Dabei waren die friedlich.«

Plötzlich reißt mich Gesa am Arm zurück, im gleichen Augenblick klingelt es laut und durchdringend. Eine Straßenbahn rollt auf uns zu, die ich glatt übersehen hätte. Jetzt fährt sie vorbei und Gesa sagt: »Hab 'ne gute Tat vollbracht und dich gerettet. Ab jetzt gehst du gefälligst an der Hand, Junge. Verstanden!? Wir wollen doch wenigstens noch etwas zusammenbleiben.«

Gesa nimmt meine Hand und hält sie fest. So gehen wir über

die Gleise, über eine Straße und in eine breite Fußgängerzone, vorbei an Läden und Leuten.

Hinter uns höre ich ein kleines Kind, das laut und durchdringend jammert. Ich verstehe kein Wort, nur diesen Klageton. Dann zischt eine Frauenstimme: »Sei ruhig!« Aber die Kinderstimme wird lauter, klagender und fordernder. Die Frauenstimme klingt jetzt zorniger: »Du bist sofort ruhig!« Das Kind denkt nicht daran, es heult noch lauter. Und in diesen Dauerton schreit die Frau völlig unbeherrscht irgendetwas, was vor allem nach Wut klingt, dabei kommt vor: »Noch ein Ton … und …!«

Das Kind antwortet mit durchdringendem Heulen. Gesas Hand hält meine sehr fest. Ich spüre, dass sie auf etwas wartet, was gleich unausweichlich kommen wird, und da kommt es schon. Ein klatschender Schlag, dann noch einer. Danach ist es kurz ruhig.

Wir drehen uns um, sehen die Mutter mit Kind, das vielleicht drei oder vier Jahre alt ist. Die Frau beugt sich über das Kind, packt den Jungen und schüttelt ihn zwischen all den Leuten, die gucken oder weggucken.

Gesa lässt meine Hand los, geht zu der Mutter und sagt etwas. Die fährt hoch, sehr rot im Gesicht. Sie beschimpft Gesa, packt den Jungen, der wieder schreit, und zieht ihn hinter sich her. Im nächsten Augenblick sehe ich zwischen den Leuten nichts mehr von der Mutter mit Kind und dann höre ich auch die Stimme des Jungen nicht mehr.

Ich gehe zu Gesa, ziehe sie an mich und halte sie fest, dabei spüre ich, dass sie ein wenig zittert. Sie sagt: »Ich musste mich überwinden der Frau zu sagen, dass sie aufhören soll. Ich hatte Schiss.«

Ich halte Gesa noch im Arm, spüre ihr Zittern jetzt nicht

mehr und sage: »Toll, dass du's gemacht hast. Ich hätte es auch tun sollen.«

Wir gehen Hand in Hand weiter. Ich gucke zu Gesa und sie guckt vor sich hin. Dann erzählt sie: »Ich fand so was schon immer schlimm und brutal.«

Wir sind beide ruhig, bis Gesa leise sagt: »He, es steht eins zu eins.« Wieder gucke ich sie fragend an und sie erklärt: »Na ja, vorhin haben wir einen schönen Augenblick erlebt, eben war's das Gegenteil, also ...«

»... steht's eins zu eins«, unterbreche ich Gesa. Sie sagt: »Es war schön warm zwischen uns. Warm und witzig, und dann kommt so was Gemeines. Davon wird mir eiskalt. Ziemliche Temperaturunterschiede im Leben, was?«

»Ja ...«, antworte ich und denke kurz daran, wie bescheuert und kalt das alles noch vor ein paar Stunden gewesen war, bevor ich Gesa getroffen habe.

Gesa kommt nicht von der Frau und dem Kind los, sie sagt: »Weißt du, Jos, es ist schlimm, dass solche Erwachsene Kinder erziehen dürfen. Selbst zum Autofahren braucht man einen Führerschein, also 'ne Ausbildung. Kinder erziehen darf man einfach so. Stell dir vor, die Frau haut auf einen kleinen Menschen ein. Übel finde ich das. Würde ein Erwachsener einen anderen Erwachsenen so prügeln, könnte der die Polizei holen. Aber das Kind ist wehrlos. Also ... wenn ich ein Kind hätte ...«, sagt Gesa und ist dann ruhig.

Wir gehen und ich warte darauf, dass Gesa weitererzählt. Aber sie will nichts mehr dazu sagen, deswegen frage ich: »Möchtest du mal Kinder haben?«

»Ich glaube schon. Ich kann mir das mit zwei oder drei Kindern jedenfalls schön vorstellen. Na ja ... und einem dazu passenden prima Mann.«

Sie guckt zu mir, guckt nicht mehr so ernst wie vorher und sagt: »Kinder kann frau leicht kriegen, wenn sie will. Den passenden Mann ... na ja ... das könnte schwieriger werden. Da muss frau gut suchen, denn die geeigneten Exemplare verstecken sich wahrscheinlich gut. Wenn frau keinen richtigen Mann findet, muss sie sich halt selbst einen backen.«

Zwei Jungs auf Rollerblades fahren an uns vorbei. Der eine streift mich. Gut sieht das aus, wie sie durch die Fußgängerzone brettern und Slalom um die Leute fahren. »Macht Spaß«, sage ich. »Ich hab keine eigenen Rollerblades, bin aber schon ein paar Mal gefahren.«

»Ich find die Dinger auch Klasse«, sagt Gesa. Wir stehen am Rand eines großen Platzes neben einem Restaurant und Café. Unter weißen Sonnenschirmen warten jede Menge Tische und Stühle auf Gäste und Gesa fragt, was ich gerade denke: »Wollen wir uns hinsetzen?« Ich nicke und schon sitzt sie an einem kleinen runden Tisch. Strahlend zeigt sie auf den Stuhl neben sich und befiehlt: »Sitz!« Ich belle kurz und setze mich. »Brav!«, lobt Gesa und sagt: »Jos, mir ist schon wieder viel wärmer geworden nach diesem Kälteeinbruch vorhin.«

Gesa beugt sich zu mir. Unsere Nasen reiben sich aneinander. Sie nimmt meinen Kopf zwischen beide Hände. Ihre Augen gucken in meine und dann küsst mich Gesa auf die Lippen, gibt mir einen langen Kuss. Ihre Lippen liegen weich auf meinen, schmusen mit meinen, knabbern an meinen. Meine Lippen küssen, schmusen und knabbern zurück, bis wir kaum noch Luft kriegen. Mit dem vorletzten Atemzug verlange ich: »Mach weiter.«

Schließlich lässt mich Gesa los und ich sage: »Zwei zu eins.« Sie nickt und meint: »Stimmt! Und jetzt ist es mir noch wärmer geworden.«

Gesa ist mit ihrem Stuhl ein paar Zentimeter von meinem weggerückt, als wollte sie nach unserem langen Kuss etwas Abstand haben und Luft holen. Mit ihrer Zunge fährt sie über die Lippen. Ich mache »mmh« und Gesa nickt.

Ich spüre ihren Körper nicht mehr, deswegen rücke ich den Stuhl wieder nah zu ihrem. Sehr paarfreundlich, dass die Stühle keine Armlehnen haben, die zwischen uns wären.

Hautnah sitze ich unter dem großen weißen Sonnenschirm bei Gesa, spüre den Stoff ihres T-Shirts am Arm. Reibe den Arm an ihrem. Sie streicht mit einem Finger über meinen Arm. Ich spüre, wie bei mir eine Gänsehaut wächst. »Guck mal«, sage ich und zeige sie ihr. »Das hast du gemacht.«

»Mach auch mal«, verlangt sie. Ich streiche mit den Fingerkuppen leicht über ihre Haut, spüre winzige Härchen, die sich unter meinem Streicheln aufrichten. »Genau wie bei dir«, flüstert Gesa und guckt auf meine Streichelfinger und ihren Arm. Dann lege ich meinen Arm um ihre Schulter und sage: »Ich glaube, wir sind magnetisch.«

»Merke ich auch. Kaum sind wir ein paar Zentimeter voneinander entfernt, kommst du wieder an.«

»Das muss Magnetismus sein«, behaupte ich. »Hab ich im Physikunterricht gelernt. Dabei geht's um Körper, die sich anziehen.«

»Mir kommt's so vor, als hätten wir das im Biounterricht gelernt«, meint Gesa. »Oder sagen wir: Dieser Magnetismus ist Biophysik.«

»Egal was es ist«, sage ich, »ich find's toll.« Gesa legt ihre Hand auf meinen Rücken, und zwei Finger streicheln den T-Shirt-Stoff über meinem Rückgrat. Ich beuge mich etwas nach vorne und Gesa streichelt weiter.

Seit wir uns gesehen haben, wächst in mir eine Spannung, ist zur Hochspannung geworden. Und je näher wir uns kommen, desto stärker wird diese Spannung. Hoffentlich knallen meine Sicherungen nicht durch. Bei dem Gedanken muss ich grinsen, während Gesa die Augen geschlossen hält und meinen Rücken streichelt und streichelt.

Ich will diese Frau neben mir ständig berühren, immer mehr und immer stärker. Eine irre körperliche Sehnsucht nach Berühren und Berührtwerden breitet sich in mir aus. Dazu streichelt Gesa meinen Rücken, streichelt immer weiter und das steigert die gierige Sehnsucht.

Unser Zusammensein ist toll und verrückt. Ja, in mir ist etwas ver-rückt worden. Vorher war in mir immer ein Satz parat und irgendwie auch eine Haltung, ein »Ich will nicht«. Will nicht reden. Nichts spüren. Das ist durch Gesa weggeschoben, verrückt worden, steht mir nicht mehr im Weg. Dafür heißt es jetzt in mir: Ich will.

Ja, aber was denn? Mh ... mal sehen. Bei Gesa sein will ich, bei ihr bleiben, jedenfalls erst einmal.

Es ist eine zärtliche Nähe, die süchtig mehr Nähe will, die mich noch einen Millimeter näher zu ihr rücken lässt und noch einen. Es ist wieder eine sexuelle Sehnsucht in mir hochgebrannt, die vielleicht nicht nur ein Wunsch bleiben muss. Diese Sehnsucht hatte sich lange Zeit versteckt, jetzt ist sie wie ein Dammbruch, überschwemmt mich.

Gleichzeitig gibt es plötzlich ein leichtes Misstrauen. Das redet fast wie die pessimistische, warnende Stimme in mir, die ich so lange und oft gehört habe. Das Misstrauen murmelt: ›Lass dich nicht verrückt machen. Du übertreibst mal wieder total! Das hast du übrigens auch getan, als du nicht mehr geredet hast. Du hast dich völlig übertrieben in diese Haltung gesteigert, bist nicht mehr rausgekommen. Und jetzt übertreibst du mit deinen Gesa-Gefühlen, steigerst dich da wieder rein. Das kann doch alles noch gar nicht so nah und vertraut sein. Du kennst sie ja kaum.‹

Ach, egal, ob ich übertreibe. Ich fühle einfach so. Es ist wunderbar, keinen Abstand zu haben. Es ist wunderbar, Gesa zu mögen, sie toll zu finden … oder wie ich das nennen will. Ich bin begeistert von dem, was wir miteinander erleben.

»He, Jos!«, sagt Gesa. »Du sitzt so ruhig da. Schläfst du?«

»Nee, im Gegenteil.«

»Also bist du hellwach. Und was tust du, außer dass du dich von mir streicheln lässt?«

»Ich horch in mich rein.«

»Und?« Gesa hört mit dem Streicheln auf. Sie dreht den Kopf zu mir, sieht mich mit ihren großen, sehr lebendigen Augen neugierig an. Und ich sage: »Ich bin völlig platt … über uns.«

»Wie ist das … platt sein?«

»Kannst du nicht wissen, klar.« Ich gucke auf ihren Busen unterm T-Shirt. Gesa grinst, drückt ihren Brustkorb raus und sagt: »Stimmt.« Dann guckt sie ernster und meint: »Obwohl's nicht danach aussieht, ich bin auch platt. Ich hab das noch nie so erlebt, wie das zwischen uns ist. Das ist … wie ein Überfall.«

»Hm«, sage ich, »Überfall … na ja … klingt nicht gut.«

»Wie ein schöner, wohliger Überfall«, verbessert sich Gesa. Sie lässt sich etwas nach vorne und tiefer in den Stuhl rutschen und schließt die Augen. »Ist einfach gut so«, sagt sie. »Es steht drei zu eins für die schönen Augenblicke … mindestens.«

Die Kellnerin kommt und fragt, was wir bestellen möchten. »Ein Weizenbier bitte«, verlange ich. Gesa bestellt das Gleiche. Als die Kellnerin gegangen ist, küsse ich Gesa auf die Wange, die sie an meinen Mund drückt.

»Guck mal«, sagt Gesa und zeigt auf die Vorderseite einer

Zeitung, die jemand am Tisch gegenüber aufgeschlagen vor sich hält. Ich sehe nichts Besonderes. Da fragt Gesa: »Soll ich dich schlagen?«

»Warum?«

»Na ja, weil auf der ersten Seite dieser Zeitung steht: Immer mehr Gewalt unter Jugendlichen.«

Ich winke ab und sage: »Noch so ein Schwachsinnsartikel. Streichle mich lieber.« Dann überlege ich und frage Gesa: »Bin ich eigentlich ein Jugendlicher?«

Wieder mal rückt sie mit ihrem Stuhl ein Stück weg, guckt mich an, von unten nach oben. »Jugendlicher? ... Na ja ... junger Mann gefällt mir besser. Klingt interessanter. Mann«, sagt Gesa und betont das Wort mit ihrer tiefen Stimme eigenartig. Noch mal guckt sie an mir rauf und runter und sagt: »Junger Mann ... Jos ... ja, klingt gut, passt besser zu dir als Jugendlicher. Jugendlicher klingt ziemlich nach Pubertät und kurz nach der Grundschule. Obwohl ... natürlich sind wir auch noch irgendwie Jugendliche.«

Ich zeige zur aufgeschlagenen Zeitungsseite am Tisch gegenüber und sage: »Jedenfalls denke ich, der Schreiber des Artikels meint auch mich, wenn ich so was lese ... wie ... immer mehr Jugendliche ... tun dieses oder jenes. Na ja, da quatscht wieder einer schriftlich über uns, weil er irgendwo irgendwas gesehen oder gehört hat. Oder weil irgendein Lehrer oder ein paar Lehrer wieder mal geklagt haben. Dann schreiben diese Experten immer ihre Expertenartikel. Diese wichtigtuerischen Überschriften kotzen mich an.«

»Mich auch«, sagt Gesa. »Seit ich Zeitung lese, lese ich ständig, ›immer mehr Jugendliche tun dieses, andere jenes‹. Und meine Mutter erzählt, solche Artikel gab's schon, als sie jung war.«

»Klingt ja auch unheimlich wissend und toll«, sage ich. »So irgendwie nach Expertentum und jahrzehntelanger intensiver Erfahrung, kritischer Beschäftigung und wissenschaftlich fundierter Analyse.«

»Also ... immer mehr Jugendliche ... äh ... saufen immer früher«, schlägt Gesa vor. »Und dealen immer früher. Schon im Kindergarten wird in der Pause ständig mit Stoff gehandelt. Muttermilch als Einstiegsdroge erkannt. Experten warnen!«

»Klar«, sage ich. »Und wie wär's mit: Immer mehr Jugendliche sprechen Fäkalsprache?«

»Klingt sehr gut und voll expertenmäßig. Genau wie: Immer mehr Jugendliche können kein Wort mehr richtig schreiben. Oder ... werden immer fetter oder immer dünner. Oder vergewaltigen und morden immer früher. Weißt du, Jos, wenn ich das so lese, müssten auf unserem Pausenhof eigentlich lauter saufende, grölende, prügelnde, dealende, erpressende Leute rumhängen. Ist aber nicht so.«

»Bei uns auch nicht. Vielleicht gibt's das ja wirklich irgendwo. Aber es ist nicht so alltäglich, wie das diese Artikelschreiber behaupten.«

Wieder zeige ich zur Zeitung am Nebentisch. In dem Augenblick schlägt sie der Mann dahinter zu und guckt auf meinen Finger, der nun auf ihn zeigt. Er guckt irritiert und ich fahre meinen Finger ein.

Gesa rückt zu mir, streichelt meinen Arm und sagt: »Darüber sollten sie schreiben.« Ich streichle ihren Arm und frage: »Darüber?« Sie nickt und stellt fest: »Immer mehr Jugendliche sind immer zärtlicher. Hab natürlich keine Ahnung, ob es stimmt. Aber es klingt ziemlich expertenmäßig.«

Die Kellnerin bringt die Weizenbiere und stellt sie vor uns

auf den Tisch. Ich tauche meinen Mund in den weißen Schaum und trinke. Das Bier schmeckt kühl und gut. Gesa trinkt auch und meint: »Wenn wir so über die Erwachsenen berichten würden, wie die das über uns tun ... so negativ und schlagzeilengeil ...«

Der Mann mit der Zeitung vom Tisch gegenüber steht auf. Er guckt zu uns, steht etwas unschlüssig da, die Aktentasche in der Hand, dann sagt er: »Ich finde, diese Artikelschreiber gucken ungeheuer lieblos und neidisch auf die nachfolgende Generation. Außerdem wollen sie euch einordnen, diese Leute. Wollen euch als Gruppe begreifen, was aber nicht geht, weil ihr sehr unterschiedliche Menschen seid. Na ja, sie verallgemeinern halt und züchten Klischees. Tschüs, ihr zwei, war schön euch zugehört zu haben.«

Da dreht sich der kleine Mann mit Halbglatze schon um, geht zur Kellnerin und bezahlt. Wir gucken ihm nach, Gesa sagt: »Guter Typ, und ich finde, er hat Recht.«

Ich überlege, was Gesa erzählt hat, als der Mann aufgestanden ist, jetzt fällt es mir wieder ein: »Du hast gesagt, wenn wir so über die Erwachsenen berichten würden, wie die über uns berichten, dann ...«

»... dann würde das so klingen«, sagt Gesa. Sie guckt sich suchend um, zeigt schließlich auf einen Mann, der vorübergeht. Dick ist er und rotgesichtig. Er geht langsam und hält eine Zigarette in der Hand. Leise sagt Gesa: »Also ... immer mehr Erwachsene fressen, saufen und rauchen zu viel und bewegen sich zu wenig. Dadurch sehen sie aus wie lahme Monster und werden ständig krank. Hier ... an diesem Mann erkennt man das. So sind sie, die Erwachsenen.«

»Genau«, gebe ich ihr Recht. »Und erinnerst du dich an die Frau, die den kleinen Jungen geschlagen hat?«

»Natürlich, und das sieht man öfter ... also ...« Ich ergänze den Satz: »Immer mehr Erwachsene prügeln kleine Kinder brutal. So sind sie, die Erwachsenen.« Nun rede ich gleich weiter: »Dir ist doch bestimmt schon aufgefallen, dass sie nicht zuhören können und dass viele einfach vor sich hin quatschen und das dann Gespräch nennen.«

»Klar«, sagt Gesa, »immer mehr Erwachsene können nicht mehr miteinander reden. Ist ja auch kein Wunder, denn sie hocken ständig vor dem Fernseher und ziehen sich dauernd brutale Videos rein.«

»So sind sie, die Erwachsenen«, rede ich weiter und Gesa nickt wissend. Dann trinkt sie einen Schluck Bier. Ihre Lippen sind voll Schaum und ich küsse den Schaum ab. Kühl fühlen sich ihre Lippen an. Ich küsse sie auch noch, als kein Schaum mehr zum Wegküssen da ist, küsse, bis sich Gesa zurücklehnt und sagt: »Du lenkst vom Thema ab.«

»Ja, tu ich gerne.« Ich lege meine Hand auf ihren Hinterkopf und ziehe Gesas Kopf zu mir. Dabei kommen sich unsere Augen immer näher, sind sich so nah, dass ihre Augen zu einem verschwimmen. Gesa beißt in meine Lippen und sagt: »Du lenkst schon wieder ab.«

»Ja, weil ich dich dauernd knutschen möchte.« Ich lasse ihren Kopf los und Gesa flüstert: »Ich mag, wie du mich küsst.«

Wohin mit meinem Arm? Er will bei Gesa bleiben. Wie zufällig streift meine Hand über ihre Brust. Gesa räuspert sich mahnend und kommt wieder zum Thema zurück: »So sind sie, die Erwachsenen!« Inzwischen ist meine Hand auf Gesas Schulter gelandet. Gesa zeigt zu einem Laden gegenüber, in dem ständig Leute raus- und reingehen, und sie sagt: »Fast jeder lässt die Tür zufallen, egal, ob jemand hinter ihm geht, und egal, wie alt oder behindert der ist.«

»Stimmt«, sage ich, »also, immer mehr Erwachsene sind immer … rüpelhafter und ungezogener.«

»Und sieh dir den an«, meint Gesa. Ein ungefähr vierzigjähriger Mann kommt uns entgegen, braun gebrannt und muskelbepackt. Aussehend wie eine Kreuzung aus Sonnen- und Bodybuildingstudio. Er trägt enge helle Hosen, dazu ein farbiges Hemd, etliche Knöpfe davon offen. Und natürlich eine schwere Goldkette und spitze Schuhe. So stolziert er vorbei und ich sage: »Immer mehr Erwachsene sehen immer ordinärer und geschmackloser aus. So sind sie.«

Gesa fällt noch einiges ein und sie zählt es schnell auf: »Immer schlechter gelaunt sind sie, immer liebloser, immer geiler. So, das reicht«, meint sie. Danach fragt sie: »Jos, kannst du dir vorstellen, dass diese seltsamen Leute, die hier in den letzten … na … zehn Minuten vorbeigegangen sind, wahrscheinlich mal ganz nette Kinder waren?«

»Eigentlich nicht«, antworte ich und frage: »Möchtest du erwachsen sein wie diese Leute?«

»Nicht wie diese Leute. Aber richtig erwachsen möchte ich schon sein.« Sie überlegt kurz und meint dann: »Das heißt selbstständig sein, für sich entscheiden können. Ja, das möchte ich. Ich stell mir das gut vor.«

Ein älteres Paar geht auf uns zu. Als es nach einigen langsamen Schritten näher gekommen ist, sehe ich, dass es sogar ein sehr altes Paar ist. Aber die beiden halten sich ganz jung an der Hand und sehen freundlich aus. Jetzt sind sie fast bei unserem Tisch. Ich lächle sie an, sie lächeln zurück und gehen vorbei. Gesa fragt: »Oder sind sie so, die Erwachsenen?«

»Nee, wir haben doch vorhin schon gesagt, wie sie sind. Jugendliche gehen auch Hand in Hand, sind freundlich und zärtlich zueinander. Darüber wird nichts geschrieben und gesagt. Also übersehen wir das nette alte Paar einfach und tun so, als gäbe es solche Erwachsenen nicht.«

Mein Fuß will bei Gesa sein. Ich helfe ihm und streife den linken Schuh ab. Gesa sieht das und streift ihren rechten ab. Nun stehen zwei nackte Füße unterm Tisch nebeneinander. »Die kennen sich noch gar nicht«, sage ich.

»Das muss anders werden«, meint Gesa. Ihr Fuß rückt näher und ihr kleiner Zeh berührt meinen. »Hallo, Kleiner«, flüstert sie. Ich ziehe meinen Fuß weg und stelle ihn auf ihren. »Besetzt«, sage ich.

»So sind sie, die Männer«, klagt Gesa. »Kaum reicht man ihnen den kleinen Zeh, nehmen sie den ganzen Fuß. Außerdem … was heißt hier ›besetzt‹? Mein Fuß ist kein feindliches Land und kein Klo. So was ist besetzt. Mein Fuß ist ein freier Fuß, sonst nichts. Und der …« Sie zieht ihren freien Fuß unter meinem besetzenden weg und redet weiter: »Und der kann tun, was er will.« Jetzt streichelt ihr Fuß meinen und ein Stück das Bein hoch. »Und eben will er streicheln«, sagt Gesa.

Ich streichle zurück und damit sind unsere Füße erst mal beschäftigt.

Aber auch über dem Tisch sitzen wir nicht faul herum. Gesa nimmt meinen Kopf und zieht ihn zu sich. Sie küsst mich auf die Lippen und ich spüre wieder, wie weich ihre sind. Dann spüre ich, dass sie den Mund etwas öffnet, und als Antwort öffne ich meinen. Ihre Lippen saugen an meinen und unsere Zungen kommen vor und berühren sich, lernen sich kennen, befühlen sich, spielen miteinander.

Ich berühre Gesas Taille, ihren Arm und wieder berühre ich wie aus Versehen ihre Brust. »Don’t touch«, sagt sie noch mal. Hält sich aber selbst nicht daran, streicht mir über die Haare und hält mich am Nacken. Ich küsse mich von ihrem Mund über die Wange zum Ohr. Küsse das Ohr und küsse sie in der Ohrmuschel, dann kitzelt meine Zunge sie da und Gesa sagt kichernd: »Das halt ich nicht aus.«

Ich spüre kribbelnde Nähe, die noch mehr Nähe möchte, die mich fast platzen lässt vor Lust und Sehnsucht. Ich könnte glatt auf Gesa draufkriechen und in sie hineinkriechen. Nur, dass das hier nicht geht, denn überall sitzen Leute und die sehen uns zu.

Auch Gesa fällt das auf. »Ich glaub, das ist der falsche Platz dazu«, sagt sie und lässt mich los.

»Suchen wir uns einen richtigen«, schlage ich vor. Gesa grinst und zieht die Augenbrauen hoch. Dann schiebt sie ihre Unterlippe vor und zur Seite und pustet wieder mal eine Haarsträhne aus der Stirn, die da allerdings gar nicht hängt.

Eben berühren sich nur noch unsere Füße. Die kleinen Zehen spielen miteinander und trotzdem spüre ich meine Aufregung und Spannung, die hervorragt, mir etwas peinlich ist und mir das Gefühl gibt: Ich platze wirklich gleich.

Langsam lässt dieses Gefühl nach, beruhigt sich. Und ich komme mir fast schwebend vor. Es ist eine herrliche Mischung aus: Gesa-ist-nah-bei-mir und einigen Schlucken Alkohol. Sehr schön.

Ich erzähle Gesa das und sie meint: »Ja, nach so einem halben Glas ist Alk toll.« Sie breitet die Arme aus und sagt: »Ich könnte mitschweben.«

Einen Augenblick sitzen wir ruhig zwischen den Leuten, schweben innerlich miteinander. Ich spüre die Wärme zwischen uns, als würde aus Gesa eine eigene kleine Sonne zu mir strahlen.

In die Ruhe und Wärme sagt Gesa plötzlich: »Ich möchte eigentlich schon die ganze Zeit mehr über deine Mutter und dich wissen. Oder magst du nicht darüber reden?«

Ich überlege und antworte: »Es ist schwierig ... und traurig. Und weißt du, Gesa, manchmal denke ich an meine Mutter, als würde sie noch leben ... Aber es sind immer Bilder ohne Töne, an die ich mich erinnere. Sie trägt eine Einkaufstasche vom Wagen zum Haus, guckt dabei die Pflanzen im Vorgarten an, bricht eine verwelkte Blüte ab. Oder sie sitzt abends vor dem Fernseher, ist im Sessel eingeschlafen. Es sind keine wichtigen Bilder, die ich sehe, es ist Alltag. Dann kommt es mir wirklich vor, als würde sie noch leben. Umso stärker wird mir danach allerdings klar, dass das Erinnerung ist. Dass sie tot ist. Und manchmal denke ich auch längere Zeit gar nicht an sie, zum Beispiel vorhin, mit dir. Da ging's mir einfach gut und ich habe nur an dich gedacht und dich gefühlt, nichts sonst. Wenn ich dann wieder an sie denke, bin ich erstaunt, dass ich so lange von ihr weg war, und ich hab fast ein schlechtes Gewissen.«

»Sie ist oft bei dir, deine Mutter, obwohl sie tot ist?«, fragt Gesa.

»Längst nicht mehr so oft wie kurz nach ihrem Tod.«

»Bist du traurig, wenn du an sie denkst?«

»Nicht immer, denn mir fallen auch witzige Sachen ein, die wir erlebt haben, oder schöne. Allerdings bin ich danach manchmal traurig, weil wir so was nicht mehr miteinander erleben können.«

»Besuchst du sie auf dem Friedhof, Jos?«

»Natürlich. Dann lese ich ihren Namen auf dem Grabstein und in dem Moment ist es immer ... unfassbar, unbegreiflich, dass meine Mutter da liegt. Stell dir vor, unter der Erde. Ich stehe vor dem Grab und sehe sie ... tot. Das heißt, ich denke an die Asche, zu der sie verbrannt wurde, meine Mutter. Sehe das Krematorium, in dem sie verbrannt wurde. Stelle mir ganz furchtbare Einzelheiten vor. Darüber schieben sich manchmal

Bilder von ihrer Krankheit. Ich sehe sie krank und immer kränker, dünner, gelber im Gesicht, das Gesicht immer eingefallener. Und ich sehe, wie sie laufend schwächer wurde. Ich musste sie stützen, wenn sie aus dem Bett wollte.«

Gesa sagt nichts, guckt zu mir, als wollte sie wissen, ob ich weiterreden möchte. Ihr Kopf ist vorgebeugt, ich sehe ihren Minipferdeschwanz. Mensch, ist die schön! Ihr Gesicht, ihr Körper, die ganze Frau. Jetzt sagt sie: »Vielleicht sterben wir auch mal durch eine Krankheit, du und ich. Oder wir sterben ganz plötzlich, durch einen Unfall zum Beispiel.«

»Ja, wir sterben alle, das ist klar wie unsere Geburt. Aber der Tod ist normalerweise weit weg. Durch das Sterben meiner Mutter ist er nah zu mir gekommen.«

»Redest du mit deinem Vater über deine Mutter und über das, worüber wir eben sprechen?«

»Nein.«

»Bestimmt ist dein Vater auch traurig.«

»Vielleicht. Ich weiß das nicht. Er spricht nicht darüber.«

»Mochten sich deine Eltern gerne?«

»Ich hab nie gesehen, dass sie so zusammen waren wie wir. Sie wirkten nicht verliebt. Oft kamen sie mir wie ein Team vor, das eine gemeinsame Aufgabe hat, und das war die Familie.«

»Hat deine Mutter auch einen Beruf gehabt?«

»Sie hat sich um das Haus gekümmert, den Garten, um die Freunde und Gäste. Sie hat eingekauft, gewaschen, gekocht, hat die Familie versorgt. Früher hat sie mir auch bei den Schularbeiten geholfen. Und zweimal in der Woche arbeitete sie in einer Boutique. Schade ist, ich habe ihr nie gesagt, dass sie das alles toll gemacht hat. Ich hab mich da anstecken lassen, denn bei uns wurde kaum gelobt und von meinem Vater überhaupt nicht. Der ist ein ewiger Besserwisser und Nörgler, hält das allerdings für kritischen Geist. Na ja.« Ich atme tief aus. Gesa guckt mich an, als sollte ich weitererzählen, und das tue ich auch. »Ich hätte meiner Mutter schon mal sagen sollen, dass ich sie gerne mochte. Habe ich leider nie getan.«

»Vielleicht hat sie's trotzdem gespürt.«

»Hoffentlich.« Und jetzt sage ich etwas, was ich oft gedacht, aber noch nie gesagt habe: »Ganz traurig finde ich, dass ich an dem Morgen nicht bei meiner Mutter war, als sie gestorben ist. Sie lag im Krankenhaus, weil sie wieder operiert werden musste. Ich hätte sie noch mal in den Arm nehmen sollen, ihre Hand halten. Na ja, ich hoffe, ich hätte das gekonnt, aber ich habe es nicht mal versucht.«

Das leichte, schwebende Gefühl von vorhin ist längst vergangen, hat sich in ein trauriges, schweres verwandelt. Aber da ist noch etwas anderes. Ich denke plötzlich, ich habe bisher niemandem so viel vom Tod meiner Mutter erzählt und von mir wie eben. Es hat auch noch nie jemand gefragt und zugehört wie Gesa.

Sie möchte noch etwas wissen: »Wollte deine Mutter eigentlich sterben? Ich kann mir das vorstellen, wenn man so lange krank ist und Schmerzen hat.«

»Als sie erfuhr, dass sie Krebs hatte, wollte sie unbedingt weiterleben. Sie ist zu verschiedenen Ärzten und Heilpraktikern gegangen, wollte sich helfen lassen und sie hat sich über ihre Krankheit informiert. Als sie länger krank war, oft Schmerzen hatte und immer noch kränker wurde, ist das vielleicht anders geworden. Es kann schon sein, dass sie ihr Leben manchmal nicht mehr aushalten wollte. Aber das weiß ich nicht, danach habe ich nicht gefragt und sie hat nichts davon erzählt.«

Mir ist zum Heulen und da laufen die Tränen schon. Gesa

sieht das, obwohl ich den Kopf etwas weggedreht habe. Sie gibt mir ein Papiertaschentuch und ich wische die Tränen ab.

Als ich mich beruhigt habe, lege ich meine linke Hand mit dem Taschentuch in Gesas rechte. Sie drückt die Hand und so sitzen wir da, bis ich sage: »Und mein Vater hockt zu Hause wie ein Stein, lebt weiter, als wäre nichts passiert.«

»Das weißt du eigentlich nicht genau«, sagt Gesa.

»Ich erlebe es aber so. Er geht zur Arbeit, bezahlt eine Haushälterin. Er sitzt im Sessel, sieht fern, verreist mal. Er trifft sich mit Leuten und immer wieder mal mit seiner Freundin.«

»Das kannst du ihm nicht übel nehmen. Und vielleicht sieht es in ihm ganz anders aus, als du dir das vorstellst.«

»Glaube ich nicht.« Gesa streichelt mir noch mal über den Rücken. Dann trinke ich mein Bier aus, Gesas Glas ist schon leer. »Eigentlich könnten wir gehen«, schlägt sie vor.

Wir bezahlen und stehen gleich darauf etwas unschlüssig auf dem Platz vor dem Restaurant. »Wollen wir in der Stadt bleiben?«, fragt Gesa. »Aber ich hätte eigentlich mehr Lust, noch weiter zu fahren.«

»Ich auch. Wir haben ja die Karten.«

»Einfach irgendwohin fahren«, meint Gesa, »das wollte ich schon immer mal, und mit dir tu ich's.«

Wir gehen Richtung Bahnhof zurück. Nach dem vielen Erzählen bin ich jetzt ruhig, spüre Gesa bei mir und finde es schön. Einen Arm lege ich um ihre Schulter und sie legt einen um meine Taille. Plötzlich bleibe ich stehen, ziehe sie an mich, umarme und küsse sie. »Schön, dass es dich gibt«, flüstere ich. »Und schön, dass wir uns getroffen haben.«

»Hast Recht«, meint sie.

Wir gehen wieder zwischen vielen Reisenden durch die Bahnhofshalle. Und dann fällt mir ein: Ich habe gar nicht mehr daran gedacht, dass wir vielleicht nur kurz zusammen sind. Habe keine Angst gehabt Gesa zu verlieren.

Wir hören auch die Sängerin wieder. Aber an der Brüstung stehen so viele Leute, dass kein Platz mehr für uns frei ist, also holen wir unsere Rucksäcke aus den Schließfächern.

»In welche Richtung möchtest du fahren?«, frage ich. »Süden? Norden? Osten? Westen?«

Gesa zuckt mit den Schultern. Wir stehen zwischen all den Leuten, die bestimmt wissen, wohin sie wollen. Und wir wissen es nicht. Eigentlich ein gutes Gefühl, so ohne Ziel zu sein. Na ja, ein Ziel habe ich schon, nämlich möglichst lange bei Gesa zu bleiben.

»In den Westen fahren wir nicht«, bestimmt sie. »Dort wohnt die Verwandtschaft, die du besuchen wolltest. Da muss ich nicht hin.«

»Und im Süden wohnt deine, fällt also auch aus«, sage ich.

»Bleiben Norden und Osten übrig.«

»Aus dem Osten sind wir gekommen«, sagt Gesa. »Da fahren wir jetzt auch nicht gleich wieder hin.«

»Also nach Norden.«

»Bin gespannt, wo wir landen«, meint Gesa. »Weißt du, Jos, wir suchen einen langsamen Zug, der überall hält. Dann können wir sofort aussteigen, wo es uns gefällt. Ein Bummelzug soll das sein. Ich will mit dir durch die Gegend bummeln.«

10

An der Information fragt Jos nach einem Zug Richtung Norden, der oft anhält und langsam fährt. Die blau uniformierte Bundesbahnfrau stutzt, als sie das hört. Einen Augenblick lang möchte sie antworten: »Bei den Wünschen können Sie auch zu Fuß gehen.« Aber dann freut sie sich über den Fahrwunsch, der anders klingt als die üblichen. Meistens beginnen die so und das sehr hektisch: »Ich muss möglichst schnell nach ...« oder: »Geben Sie mir die nächste, kürzeste und schnellste Verbindung nach ...«

Eine halbe Stunde später sitzen Gesa und Jos in ihrem Zug, der wirklich keine Haltemöglichkeit auslässt. Hier sitzen sie nicht mehr auf dem Boden, sondern nebeneinander in einem Abteil zweiter Klasse.

Voll und warm ist es. Immer wieder stehen Gesa und Jos auf, ziehen das Fenster kurz runter und spüren Fahrtwind. Der Zug bummelt durch die flache Landschaft. Es geht an Feldwegen entlang, die mit Büschen bewachsen sind und Getreidefelder begrenzen. Sie kommen an Weihern und Seen vorbei. Und das alles liegt unter einem hellblauen Himmel mit weißen Wolkentupfen.

Das Gelb der Rapsfelder ist stumpf geworden. Dafür leuchtet der Flachs auf den Feldern umso mehr. Sein helles Blau sieht durch halb geschlossene Augen aus wie der Himmel.

Gesa und Jos reden im Moment nicht viel. Sie sehen hinaus, genießen das Zugfahren und Zusammensein. Als ein Mann im Gang vorbeigeht, denkt Jos kurz an seinen Vater, dem der Mann ähnlich sieht. Und Jos staunt, denn er denkt gar nicht mehr so streng über ihn. Er spürt, dass diese kurze Entfernung voneinander das Denken schon eine Spur freundlicher gemacht hat.

Das Aussteigen verschieben Gesa und Jos immer wieder, obwohl einige Orte aussehen, als könnte man hier gut aussteigen. Aber sie suchen den idealen Platz für sich und ihr Beieinandersein. Alles soll passen. Eine schöne Landschaft, ein kleiner Ort, in dem es alte Häuser mit Holzbalken gibt, dazu Blumengärten. Einen See zum Baden wünschen sie sich und einen Wald zum Spazierengehen. So haben die beiden das besprochen. Ach ja … und Sonnenblumen sollten irgendwo in der Nähe des Bahnhofs wachsen.

Immer wenn der Zug langsamer fährt und der nächste Bahnhof näher kommt, stehen sie auf und gucken raus, überlegen: Aussteigen oder nicht? Bisher sind sie weitergefahren. Sie sitzen nebeneinander. Gesas rechte Hand hält Jos' linke. Alle im Abteil sehen: Da ist ein Liebespaar unterwegs.

Manchmal gucken sie sich plötzlich überrascht an, als würden sie staunen, dass sie ein Paar sind. Obwohl Jos erst vor einigen Stunden aufgebrochen ist, spürt er, dass alles andere als das Zusammensein mit Gesa für ihn weit weg ist und unwichtig. Er lebt nur in diesem Zusammensein und endlich fühlt er sich jemandem sehr nah.

Nach einiger Zeit sprechen die beiden wieder mehr. Das ältere blasse Ehepaar gegenüber tut uninteressiert, guckt angestrengt an Jos und Gesa vorbei und hört trotzdem angestrengt zu. Spürt staunend die Sehnsucht der beiden, die Offenheit, Herzlichkeit und Zärtlichkeit.

Gesa sitzt neben dem Fenster und lehnt an Jos. Der erzählt ihr, dass er manchmal nicht weiß, ob er wirklich noch lange zur Schule gehen will. Die Schule und was er dort lernt kommen ihm oft sinnlos vor. Er möchte praktischer arbeiten, denkt an eine Lehre, eventuell als Fotograf. Aber er ahnt auch, dass er vielleicht nur nicht erfüllen will, was sein Vater von ihm erwartet, nämlich: zuerst das Abitur, dann ein Studium.

Jos möchte nicht, dass das alles so festliegt und entschieden ist. Er möchte selbst über sich entscheiden. Auch Gesa will das, aber sie will bis zum Ende zur Schule gehen, das ist für sie ganz klar.

Wieder kommt der Zug in einem kleinen Bahnhof an. Nein, das ist auch nicht ihr Ort. Sie erzählen sich von Filmen, von Musik und Büchern, die sie mögen, und sie entdecken, dass ihr Geschmack ähnlich ist. »Passt!«, sagt Gesa.

Das ältere Ehepaar hört noch aufmerksamer zu, als Gesa mehr von den beiden Jungen erzählt, mit denen sie längere Zeit zusammen war. Sie mochte beide sehr gerne. Sie erzählt, wie sie sich kennen gelernt haben, lacht darüber. Sie wird ernst, als sie von den Trennungen berichtet.

Jos spürt, dass Gesa mit den beiden wirklich eng zusammen war. Sie erzählt auch, das sie miteinander geschlafen haben. Fast nebenbei erzählt Gesa das und leise. Das Ehepaar muss sehr genau zuhören, um alles zu verstehen.

Dann erzählt Jos mehr von seinen bisherigen Freundinnen und er hat überhaupt nicht das Gefühl, dass er irgendetwas verschweigen müsste. Mit seiner ersten Freundin hat er nicht geschlafen, traute sich nicht.

Gesa und Jos reden über das Wort »schlafen«. Merkwürdig ruhiges Wort für so etwas Unruhiges, finden sie beide. Mit seiner zweiten Freundin wollte Jos dann schlafen, traute sich, und sie wollte es auch.

Gesa und Jos erzählen sich, was sie am Zusammenleben mit einer Freundin oder einem Freund mögen. Dieses Wissen, dass man zueinander gehört. Die Freude in einem. Sich nicht alleine fühlen. Ständig an den anderen oder die andere denken. Jemanden zum Umarmen und Lieben haben. Vertrauen haben. Sich nah fühlen. Beim Erzählen entdecken sie, dass sie es beide mögen, wenn es harmonisch zugeht. Dieses Mal sagt Jos: »Passt!«

Wieder fahren sie durch hellblau blühende Flachsfelder. Sie sehen einen Radweg neben den Gleisen. Dann rattert der Zug an einem See vorbei. Leute liegen an einem Ufer. An den anderen Ufern wächst der Wald bis zum Wasser.

Gesa und Jos spüren, hier sollten sie vielleicht aussteigen. Wenn jetzt noch der Ort passt … Sie stehen am Fenster. Schöne alte Backsteinhäuser tauchen auf, Gärten voller Blumen, eine Gaststätte, und waren das eben nicht Sonnenblumen?

Der Zug fährt langsamer. Die beiden gucken sich an, nicken. Ja, das soll ihre Umgebung werden. Sie nehmen die Rucksäcke von der Gepäckablage, drängen sich an den Knien der Mitreisenden vorbei, sagen »tschüs« und gleich darauf steigen sie aus dem Zug.

Gesa fragt:

11

»Wie steht es eigentlich?«

»Was meinst du damit?«, frage ich.

»Hast du's vergessen, wir zählen doch die schönen Augenblicke und die blöden, die wir erleben.« Ich überlege kurz, dabei fällt mir nur der eine blöde Augenblick ein, als das Kind geschlagen wurde. Davor und danach gab es jede Menge schöner Augenblicke.

»He, ich hab was gefragt«, erinnert mich Gesa.

»Es steht so fünf zu eins.« Dazu will Gesa etwas sagen, aber jetzt rattert der Zug am Bahnsteig hinter uns los. Sie bleibt mit offenem Mund stehen und redet weiter, als der Zug ein Stück weg und leiser ist.

»Fünf zu eins … ja … stimmt ungefähr. Das Drehbuch für den Film, in den wir beide plötzlich gekommen sind, gefällt mir übrigens immer noch, obwohl's ja fast ein Liebesfilm ist und einer ohne richtige Action.« Sie guckt mich an und sagt dann: »Auch der Hauptdarsteller ist weiter okay.«

Ich gehe einen Schritt von ihr weg und sehe sie wieder mal an. Bisher ist das jedes Mal wie ein freudiger Schreck, der mich begeistert und aufregt. Meine Augen gleiten langsam über Gesa … Schön ist sie, denke ich, und ich sage: »Ich finde die Hauptdarstellerin auch ganz okay, also … sogar sehr okay.«

Wir stehen auf dem kiesbestreuten Bahnsteig, dem einzigen, den es hier gibt, und wir sind auch die Einzigen, die hier ausgestiegen sind. Unsere Rucksäcke liegen neben uns.

Gesa zeigt nach links, also in die Richtung, aus der wir mit dem Zug gekommen sind. Ich nicke und wir gehen in diese Richtung, das heißt: Richtung Badesee und Wald.

Wir kommen an bräunlich roten Einfamilien-Backsteinhäusern in Sommerblumengärten vorbei, denen die Sonne auf die Dächer brennt. Gesa guckt zu mir. Ihre Augen strahlen, ihr Gesicht strahlt. Genauso habe ich sie vor einigen Stunden auf dem Bahnhof gesehen und wahrscheinlich habe ich mich schon im ersten Augenblick in sie verknallt. Ist doch irre, da waren so viele Menschen und mittendrin sie. Und jetzt geht sie neben mir, steckt mich mit ihrem Strahlen an.

Plötzlich bleibt sie stehen und sagt: »Wir haben was vergessen.« Dann nimmt sie meine Hand. »Das haben wir vergessen«, erklärt sie und will losgehen. Aber ich bleibe weiter stehen, lege meine Arme um ihre Taille und ziehe Gesa an mich. »Das auch«, sage ich. »Und das«, sagt sie, legt ihren Arm um meinen Hals. So stehen wir an einem Gartenzaun, halten uns fest und ich flüstere ihr ins Ohr: »Ich glaub, wir sehen aus, als würden wir eng tanzen.«

»Tun wir aber nicht«, flüstert Gesa mir ins Ohr. »Jedenfalls ich nicht, ich knutsch dich.« Sie drückt mich an sich und fragt: »Und du, was tust du?« Als Antwort küsse ich sie auf die Wange, den Mund, knabbere an ihrer Unterlippe und sie küsst mich.

Weil wir so nicht reden können, beuge ich meinen Kopf zurück und sage: »Im Zug haben wir uns nicht geküsst.«

»Stand auch so im Drehbuch«, sagt Gesa. »Im Zug sind zu viele Leute und die stören beim Knutschen. Der Zug war knutschfreie Zone.«

Wir stehen immer noch am Gartenzaun. Ich drücke Gesa enger an mich, spüre ihren Körper, der mich aufregt, fühle diese Frau an mir. Das Zusammensein mit ihr lässt so ein angeturntes, kribbliges, begeistertes, schwebendes Gefühl in mir entstehen. Ich hebe ab, wenn das so weitergeht. Aber bevor ich das schaffe, klingelt's neben uns und wir fahren erschreckt auseinander.

Ein kleiner Junge auf seinem Fahrrad düst an uns vorbei, klingelt wie verrückt und ruft: »Die sind verknutscht! Total verknutscht. Die spinnen!«

»Stimmt!«, rufe ich hinter ihm her. »Bist wohl neidisch?« Aber er ist schon um die Ecke gefahren und verschwunden.

Wir stehen wieder allein am Gartenzaun und ich beschwere

mich: »Der Junge hat mich von Wolke sieben auf die Erde geholt.«

»Wo's mir im Augenblick gut gefällt«, meint Gesa.

»Mir auch«, sage ich, »und ich find's toll, dass wir viel Zeit haben … und nichts müssen, gar nichts.«

Wir gehen über eine Querstraße und dann wieder an diesen schönen alten Backsteinhäusern vorbei. Plötzlich kichert Gesa und sagt: »Ich hab das früher auch doof gefunden, wenn ich Leute beim Knutschen gesehen hab.«

»Und ich hab gedacht, ist ja eklig, die sabbern sich an.«

»Genau«, meint Gesa. »Aber jetzt merke ich, so schlimm ist das gar nicht, das Gesabbere und Abgeschlabbere, jedenfalls nicht mit dir.« Hinterher sagt sie noch: »Wenn das so weitergeht, brauchen wir bis zum Ende der Straße locker den ganzen Nachmittag.«

»Glaub ich nicht,« widerspreche ich. »Hier können wir sowieso nicht knutschen, weil wir ständig gestört werden.«

»Hier gibt's einfach keine guten Knutschplätze«, meint Gesa. Wir gehen einige Schritte, meine rechte Hand hält wieder ihre linke. Einer ihrer Finger krabbelt an der Innenfläche meiner Hand wie ein aufgeregter zärtlicher Käfer. Und da ruft Gesa: »Die Telefonzelle!«

»Was ist mit der?«

»Ist ein prima Knutschplatz, ein völlig ungestörter. Guck, da vorne vor den Bäumen.« Ich sehe die Zelle auch. »Aber in der sieht uns doch jeder«, sage ich.

»Nee … erst mal ist im Augenblick niemand da, der uns sehen könnte. Und wenn jemand kommt, denkt er, wir telefonieren, obwohl …«

Ich gucke nach allen Seiten und nicke. »Na gut«, sage ich. Ich nehme Gesas Hand fester in meine und renne los, so schnell das mit dem Rucksack auf dem Rücken geht, der ständig rauf- und runterhüpft. Gesa rennt neben mir. Lachend reißen wir die Tür der Telefonzelle auf und drängen uns nebeneinander rein.

»Knutschplatz, Test eins. Telefonzelle«, sagt Gesa. Sofort nimmt sie den Hörer und tut so, als würde sie eine Nummer wählen, dabei steht sie eng neben mir. Ich fasse sie um die Hüfte, spüre den Stoff der Shorts und das T-Shirt, das beim Rennen aus ihrer Hose gerutscht ist. Ein Finger streichelt das schmale Stück Haut zwischen Hose und T-Shirt. »Hallo«, sagt Gesa mit ihrer tiefen, etwas rauen Stimme in den Hörer, die mich aufregt, wie diese Frau überhaupt.

Ich drehe mich ein Stück von ihr weg, was mit Rucksack in der engen Zelle gar nicht einfach ist. Jetzt haben wir etwas mehr Platz. »Das ist unsere Einzimmerwohnung«, sage ich und Gesa tut so, als würde sie mit ihrer Mutter telefonieren: »Hallo, Mutti ... also die Fahrt war ziemlich langweilig. Aber hier ist die Gegend ganz schön.« Gesa tritt mir auf den Fuß. »Ja«, sagt sie, »ich werd brav sein, klar. Keinen Mann angucken, auch klar.«

Ich stehe jetzt direkt hinter ihr und ihr Rucksack drängt mich an die Glaswand. Um Gesa näher zu kommen, drehe ich sie etwas zur Seite. Meine Hand wandert unter ihr T-Shirt, streichelt ein Stück Rücken, so weit der Rucksack das erlaubt. Und Gesa sagt: »Nein, Mutti, hier gibt's nirgends Jungs oder junge Männer, nur uralte Knacker.«

Ich kneife sie in die Seite, ziehe sie mit beiden Armen an mich. Gesa sagt nichts mehr ins Telefon. Meine Finger spielen an den freien Stellen zwischen Hose und T-Shirt. Die Finger laufen um Gesa herum, streicheln um sie herum.

Wir stehen sehr eng beieinander. Verdammt erregend! Und da reckt sich einer hoch. Oh, dieses verflixte Stehaufmännchen spielt verrückt. Schön ruhig bleiben da unten, ja!, rede ich ihm zu. Aber ich drücke Gesa weiter und das beunruhigt ihn sehr, diesen Gradmesser meiner sexuellen Aufgeregtheit, und er reckt sich weiter.

»He!«, sagt Gesa. Spürt sie ihn? Bestimmt. Eigentlich kann das gar nicht anders sein. Ob sie der Aufstand stört? Ob sie ihn merkwürdig findet? Hoffentlich nicht.

Also, das Teil da unten soll tun, was es will. Mit dem habe ich nichts mehr zu schaffen. Wenn es sich weiter so unkontrolliert verhält, sind wir geschiedene Leute. Jetzt sagt Gesa: »Ist doch ein bisschen eng hier, Jos.«

»Ja, sehr eng.« Ich brauche Ablenkung, sonst weiß ich nicht, was der Aufstand noch anrichtet. Erektion heißt das im Sexualkundedeutsch und seit langer Zeit ist so 'ne Erektion bei mir nicht mehr durch eine wirkliche Frau entstanden, nur noch durch Phantasien. Aber nun bin ich endlich mit einer Frau zusammen und auch nicht mit irgendeiner.

Ich drücke mich noch mal schnell an Gesas freie rucksacklose Seite, dann gehe ich ein Stück zurück. Ja, so ist es weniger hauteng und dadurch weniger aufregend. Gesa redet wieder in den Hörer: »Also wirklich Mutti, absolut nichts los hier, tote Hose. Ich hoffe trotzdem, dass es nicht langweilig wird.«

Ich puste in Gesas Minipferdeschwanz, nehme meine Hand von ihrer Hüfte und streichle über ihre Haare. Meine Finger krabbeln zu ihrem Hals und ich puste in die kleinen Härchen an ihrem Haaransatz, die so weich aussehen. Ich nehme sie zwischen die Lippen, küsse die Härchen. Dann löse ich mich noch ein Stück mehr von Gesa.

Sie dreht sich um, hängt den Hörer ein. »Mensch, ist das warm«, stöhnt sie und streicht sich Schweißperlen von der Stirn.

»Sehr heiße Sache hier drin und überhaupt«, sage ich. Gesa öffnet die Tür und fächelt uns Luft zu. Ich sehe zu den Häusern, dabei fällt mir auf: »Das Haus genau gegenüber hat uns die ganze Zeit zugeguckt.«

»Stimmt«, meint Gesa, »mit seinen Fenstern im ersten Stock sieht es aus, als hätte es Augen.«

Ich zeige zur blau gestrichenen Tür in der Mitte unter den Fenstern. »Und das ist der Mund.«

»Es hat ein schönes Gesicht, das Haus, und es guckt uns freundlich an. Ich glaub, es mag uns«, meint Gesa.

»Eben fragt es, ob wir reinkommen wollen«, sage ich. Dazu meint Gesa: »Quatschkopf.« Sie fährt mit der Hand über meine Haare, zieht meinen Kopf etwas weg, guckt ihn an und sagt ernst: »Du hast auch ein schönes Gesicht.« Sie nimmt es zwischen die Hände, drückt es und sagt: »Und du guckst auch freundlich, jedenfalls meistens, nur wenn du nachdenkst nicht. Das strengt dich nämlich immer gewaltig an.«

Nun grinst Gesa und lässt meinen Kopf los. Ich drücke die Tür der Telefonzelle weit auf. Dabei merke ich, dass das Reden meine Aufregung und Lust von vorhin abgekühlt hat. Ist vielleicht auch besser.

Gesa zieht das T-Shirt ein Stück über ihren Bauchnabel nach oben und stöhnt: »Ich brauch mehr Luft, lass uns gehen.«

»Braucht der auch mehr Luft?«, frage ich und zeige zu ihrem Nabel. »Klar«, antwortet Gesa, »ich bin nämlich Bauchatmerin und am liebsten atme ich durch den Nabel, der übrigens sehr niedlich ist.« Jetzt zieht sie das T-Shirt nach unten und flüstert: »Das Haus guckt wieder.«

»Also, ich finde, das war nicht der tollste Ort zum Knutschen, war zu heiß und zu eng«, sage ich. »Wir müssen bessere

Orte finden und dann möchte ich deinen Nabel genauer angucken.«

Dazu sagt Gesa nichts. Nun gehen wir aus der Telefonzelle und mir fällt plötzlich ein: »Ich bin gespannt, wer als Erster von uns zu seiner Verwandtschaft fahren will.«

»Ist dir wohl schon langweilig mit mir?«, fragt Gesa und guckt ernst. »Möchtest du deine Leute anrufen und sagen, dass du bald kommst?«

Was? Gesa denkt, dass ich es langweilig finden könnte? »Ist nienicht und nimmermehr langweilig mit dir«, sage ich.

»Echt wahr?«, fragt sie.

»Echt wahr!«

»Aber ›nienicht und nimmermehr‹ ist mein Wort«, sagt Gesa und guckt wieder weniger ernst. »Das darfst du mir nicht klauen, darfst es höchstens ausleihen. Ausleihgebühr ein Kuss.«

Ich drücke ihr den Kuss auf die Wange. Gesa guckt ziemlich verzweifelt zum Ende der Straße und stöhnt: »Wir kommen da wirklich nie hin.«

»Versuchen wir's wenigstens«, schlage ich vor. Als wir losgehen, sage ich noch was zum Thema »Verwandtschaftsbesuch« und damit Trennung: »Lass uns doch einfach erst mal zusammenbleiben, jetzt und …«

»Warten wir's ab, wie's wird«, unterbricht mich Gesa, als wollte sie darüber im Augenblick nicht weiterreden.

Wir gehen wirklich ein paar Schritte, ohne stehen zu bleiben, gehen einfach. Gesa sieht mich von der Seite an und meint laut: »Guck nicht so trübsinnig. Sonst kommst du, zack, in die Biotonne und Deckel drauf. Dort hast du wirklich einen Grund trübsinnig zu gucken.«

»Weil's da drin stinkt«, sage ich.

»Dann fasse ich dich nicht mal mehr mit Handschuhen an«, meint Gesa. Jetzt fasst sie ganz selbstverständlich und ohne Handschuhe nach meiner Hand und nun sind ihre linke und meine rechte Hand wieder zusammen. Die Finger streicheln sich und wir gehen den Weg runter, auf dem uns kein Mensch entgegenkommt.

Ruhig ist es hier. Die Leute im Ort arbeiten wohl oder sind im Urlaub. Ich höre nur Vögel und dann von irgendwoher weit weg einen bellenden Hund.

»Die Sonnenblumen in den Gärten sehen schön aus«, sagt Gesa. »Ich glaub, das sind meine Lieblingsblumen.«

»Hier knickt der Weg nach rechts ab, prima Knutschplatz«, stelle ich fest.

»Wie kommst du darauf?«

»Na ja, es ist nicht so heiß und nicht so eng wie in der Telefonzelle. Und genau an dieser Ecke ist der Punkt, wo uns die meisten Leute, die in der Straße vor uns wohnen, noch nicht sehen, und viele Leute, die in der Straße hinter uns wohnen, sehen uns nicht mehr.«

»Da ist mindestens ein logischer Fehler drin«, meint Gesa. »Es sind hier nämlich nirgends Leute. Der Knutschplatz ist abgelehnt. Wir suchen einen besseren und dann krieg ich meinen persönlichen Knutschfleck von dir.«

»Wohin willst du ihn haben?«

»Ach, immer soll frau sich entscheiden«, stöhnt Gesa, »das ist der totale Stress. Ich überleg mir das später.«

Wir gehen genau im Gleichschritt. So nebenbei gucken wir uns die Häuser und Gärten an. Ich bleibe stehen, zeige Gesa ein kleines Backsteinhaus mit besonders alten und schönen Steinen in einem besonders bunten und wild bewachsenen Garten. »Find ich toll«, sage ich.

Dann hören wir endlich mal Einheimische, die irgendwo hinter ihrem Haus grillen. »Riecht lecker«, meint Gesa. »Ich könnte glatt mitessen.«

Während wir Hand in Hand weitergehen, überlege ich: Wo übernachten wir eigentlich? Ach, egal. Es sind noch etliche Stunden bis dahin.

Irgendwie hat der Gedanke ans Übernachten, das schöne Zusammensein überhaupt und die Aufregung von vorhin einen anderen Gedanken in mir entstehen und wachsen lassen. Er heißt: Gesa, ich möchte mit dir schlafen.

Sage ich ihr das? Der Gedanke war eben schon fast ausgesprochen, ich konnte ihn gerade noch zurückhalten. Die warnende Stimme in mir hat jetzt nach längerer Zeit auch mal wieder einen Auftritt: ›Sag's nicht!‹, verlangt sie. ›Dafür ist es noch zu früh.‹ Die andere Stimme schweigt, ist wohl unsicher.

Aber ich wollte Gesa alles sagen, was mir wichtig ist, wollte nichts verschweigen und voller Hemmungen mit mir rumtragen.

Das »Ich-möchte-mit-dir-Schlafen« hat sich mit dickem Ausrufezeichen in mein Gehirn gekratzt. Der Gedanke stört im Augenblick. Ich will ihn löschen. Aber er lässt sich nicht löschen.

Mensch, ich kenne mich irgendwie selber nicht mehr. Vor ein paar Stunden wäre mir das alles viel zu nah, viel zu intim gewesen und jetzt fühle ich das Gegenteil.

Es ist verrückt: Wir sehen uns, fahren gemeinsam Zug, reden, gehen spazieren. Gut, wir umarmen uns, aber mehr ist es doch eigentlich nicht und es will schon viel mehr werden.

›Doch, das ist auch schon mehr‹, meldet sich plötzlich die zweite Stimme in mir, die positive. ›Das ist sogar viel mehr. Du bist begeistert von Gesa, hin und weg. Dein Innenleben ist völlig durcheinander. Die müden Hormone sind aufgewacht und wachgeküsst aus ihrem Dornröschenschlaf. Sie wirbeln rum. Deine Begeisterung hat ein Verlangen nach Gesa angezündet, nach Nahsein und Noch-näher-Sein. Toll. Freu dich!‹

Ich gucke wohl nicht übermäßig freudig. Gesa beobachtet das, und ihre Hand hängt nur noch so in meiner, ich spüre sie kaum. Jetzt seufzt Gesa: »Du hast gedacht, Jos. Stimmt's?«

Ich nicke und sie sagt: »Da war wieder dieser geistesabwesende, merkwürdige Gesichtsausdruck, als wärst du irgendwo weit weg oder etwas krank.«

»War ich nicht. Ich war dir in Gedanken sehr nah.«

»Dann verrat deine Gedanken, wenn du willst.«

»Ich glaub … ich will nicht, jedenfalls jetzt nicht.«

»Okay«, sagt sie, »dann nicht.« Unsere Hände fassen wieder fester zu. Gesa sagt: »Ich merke an deinem Händedruck, ob du bei mir bist oder nicht. Eben warst du weg. Du hast mich fast losgelassen und erst mal gar nicht gemerkt, dass ich dich beobachte. Da war ein stark ablenkender Gedanke in dir.«

»Stark schon, aber eigentlich nicht ablenkend. Es war mehr 'ne Phantasie, was noch sein könnte.«

»Oh, jetzt wird's spannend«, meint Gesa und fasst meine Hand fester. Ich rede aber nicht weiter, da erzählt sie: »Es ist irre. Wir sind zusammen … wie wir halt zusammen sind. Ich find's gut so. Aber die Phantasie …« Gesa stockt, überlegt und erzählt dann: »Die Phantasie malt das aus, fliegt schon weiter. Das ist eigentlich lästig, aber auch irgendwie … aufregend. Und es ist halt einfach so, wenn man Phantasie hat. Ich hab jedenfalls welche, und du?«

»Ich auch. Dann denkt man wirklich so … voraus und man stellt sich vor, was noch sein könnte. Ich tu das manchmal, kann meine Phantasie einfach nicht abstellen. Hab keinen Knopf dazu.«

»Aber phantasier dich nicht von mir weg«, verlangt Gesa.

»Bestimmt nicht.«

»Übrigens«, sagt Gesa, »das mit der Phantasie … passt auch.« Sie lächelt mich von der Seite an. Lächelt ihr starkes Lächeln, das ansteckend warme, herzliche, das mich überrieselt, mir eine Gänsehaut macht und mich hilflos werden lässt. Ihre Pupillen werden dann noch größer und ihr Gesicht wird noch schöner und weicher.

Inzwischen sind wir wirklich wieder ein Stück weitergegangen. Plötzlich bleibt Gesa stehen, macht eine ihrer Vollbremsungen, dabei lässt sie meine Hand los. Sie stellt sich vor mich und umarmt mich, drückt mich an sich. Und ich drücke sie.

»Ist wieder ein schlechter Knutschplatz«, sage ich. »So mitten auf dem Weg.«

»Wir finden einfach keine besseren«, meint sie. »Außerdem will ich dich gar nicht knutschen, will dich nur mal schnell umarmen. – Das war's schon.« Sie lässt mich wieder los. Jetzt fällt ihr ein: »Du hast da vorhin was von einem Knopf erzählt, der bei dir fehlt.«

»Du meinst den, mit dem ich meine Phantasie ausstellen könnte.«

»Genau den. Bist du sicher, dass du ihn nicht doch irgendwo hast? Vielleicht ist er bisher nur nicht entdeckt worden.«

»Kann natürlich sein.«

»Also, ich such den Knopf.« Gesa hält mich am T-Shirt fest, weil ich so tue, als ob ich weglaufen wollte. Dann drückt sie auf meine Nase, die Ohren und fragt: »Na, war das der Knopf? Ist deine Phantasie verschwunden?«

Ich schüttle den Kopf. Gesa zieht mein T-Shirt ein Stück aus der Hose und nach oben, kitzelt mich dabei mit einem Finger am Bauch. Ich muss lachen und sie meint: »Ruhe! Das ist 'ne ernsthafte Untersuchung.«

Sie sucht weiter nach dem Knopf, drückt einen Finger in meinen Bauchnabel und sagt: »Den muss ich später mal ganz genau ansehen, Bauchnabel sind nämlich sehr interessant und völlig unterschiedlich.« Schließlich verkündet Gesa: »Die erste oberflächliche Untersuchung hat wirklich keinen Anhaltspunkt für diesen Knopf ergeben.«

Sie sagt das, als würde sie das Ergebnis eines wichtigen Referates mitteilen. Genauso ernst steht sie vor mir. Dann lacht sie, stupst gegen meine Brust und sagt: »Früher habe ich nicht gedacht, dass man in unserem Alter so albern sein kann. Heute weiß ich ... frau kann. Das ist gut so. Aber man kann auch.«

Gesa geht los und ein Stück voraus. Von hinten habe ich sie bisher noch nie so ausführlich gesehen, das ist eine Premiere. Deswegen gucke ich genau und stelle fest: Auch so gefällt sie mir. Sie bewegt sich irgendwie sportlich. Außerdem sehe ich unter ihrem Rucksack, dass ein sehr niedlicher Po in ihren Jeans-Shorts steckt. Er hat eine tolle weibliche Form. Ich gucke, bis sich Gesa umdreht und verlangt: »Trödle nicht so.«

Also lege ich einen schnelleren Gang ein und bin schon neben ihr. Da sehe ich vor uns im Gartenzaun, der mit einer hohen Hecke bewachsen ist, so was wie eine Bucht. In der stehen sonst bestimmt zwei Mülltonnen, aber aus irgendeinem Grund ist der Platz frei. Ich packe Gesas Hand und wir rennen dahin. Nun stehen wir anstelle der Tonnen dort. Neben, hinter und über uns werden wir von einer dichten Hecke aus weißen Blüten umrahmt.

»Das riecht gut«, sagt Gesa.

»Und wir testen Knutschplatz zwei«, sage ich. Gesa seufzt

und meint: »Ich hab's schon ein paar Mal gesagt, mit dir kommt frau nicht vorwärts.«

Ich stehe mit dem Rücken in der Bucht, Gesa steht vor mir. Sie grinst, schiebt ihre Unterlippe vor und zur Seite, zieht die Oberlippe etwas zurück und pustet an der Nase vorbei. Und schon fliegt eine Haarsträhne aus ihrer Stirn.

Gesa rückt näher zu mir und ich stehe so weit im Busch und am Zaun, wie es mit Rucksack geht. Fast sind wir in dieser grünen Bucht verschwunden, abgetaucht. Eine der weißen Blüten hängt neben Gesas Nase. Sie schnüffelt dran und macht: »Mhh.« Dann drückt sie sich in meine Arme, die ich fest um sie lege.

Ich streichle ihren Hals an der Seite, küsse ihn. »Bist du 'n Vampir?«, fragt sie und ich küsse weiter, spüre ihre Brust ganz deutlich an meiner. Vom Hals wandert meine Hand über ihre Schulter nach unten bis zum Ende ihres T-Shirts. Ich flüstere in ihr Ohr: »Ich such ein Versteck.« Meine Finger schleichen auf ihrer Haut unterm T-Shirt nach oben, sind auf der Suche. Gesa sagt nichts, hält ihre Augen geschlossen. Die Finger suchen weiter unterm T-Shirt, kommen immer höher. Irgendwo bleiben sie kurz, krabbeln, fühlen, streicheln und warten, ob Gesa etwas sagt. Aber sie sagt nichts und die Finger wandern noch höher. Jetzt spürt ein Finger den Ansatz ihrer Brust, dann kommen alle nach. Sie befühlen und bestaunen das Weiche, Fremde und Schöne. Wieder ist ein Finger neugieriger als die anderen, sucht weiter. Es wird noch weicher und fühlt sich noch spannender an und die anderen Finger kommen hinterher.

Dabei drücke ich mich fest an Gesa. Sie in meinem Arm, meine Hand an ihrer Brust, das regt mich alles irre auf und darauf reagiert mein männliches Teil sofort, ist aufgestanden wie vorhin und will unbedingt weiter aufstehen. Und es würde nichts nützen, wenn ich ihm das Gegenteil befehle.

Dieses Tasten, Berühren, Streicheln erregt mich sehr, erregt ihn sehr.

Ich gucke in Gesas Gesicht. Es ist ein wenig rot. Ob sie das auch alles so aufregt? Irgendwie hat sie meinen Blick gespürt, geht etwas zurück. Dabei guckt sie zu meinen immer noch streichelnden Fingern unter ihrem T-Shirt. »He, Jos«, sagt sie, »deine Finger suchen gar kein Versteck, die haben meine Brust gesucht.«

Die Finger liegen ruhig, suchen nichts mehr, spielen nicht mehr. Liegen da, als wollten sie auf dem schönen Hügel ausruhen. Leise sage ich: »Guck, die sind müde, war ein schwieriger Aufstieg.«

Gesa dreht sich um, so weit das in meinen Armen geht. Sie will sehen, ob jemand kommt. »Ist niemand da«, beruhige ich sie. Meine Finger wandern durchs Tal zur anderen Brust, fühlen an ihr, streicheln sie. »Hier möchten sie auch mal Guten Tag sagen«, sage ich.

Die Finger klettern nach unten zum Ende des T-Shirts. Ich küsse Gesa auf den Mund, spüre ihre Lippen, die etwas geöffnet sind. Sie küsst mich und sagt: »Du, das ist auch kein so toller Knutschplatz hier mitten im Ort.«

»Aber er ist besser als die Telefonzelle«, sage ich. Gesa nickt, ist einen Schritt von mir weggegangen und zieht ihre Klamotten zurecht. Ich tue das Gleiche und dann verlassen wir Hand in Hand unseren Knutschplatz Nummer zwei unterm weiß blühenden Busch.

Düster murmelt Gesa: »Alles sehr, sehr übel. Wohin soll das führen, frag ich mich. Frag ich dich?« Aber sie erwartet wohl keine Antwort, sondern redet gleich weiter: »Die jungen Menschen heutzutage ... also so was von scharf, ätzend! Wirklich, wohin soll das führen?«

»Keine Ahnung«, antworte ich und drehe mich noch mal zu unserem Knutschplatz um. »Übrigens, da stehen sonst eigentlich Abfalltonnen«, sage ich.

»Ach … und dahin hast du mich abgeschleppt?« Gesa tut empört. »Ich sag's ja, alles sehr, sehr übel. So was tust du nie-nicht und nimmermehr!«

Hand in Hand gehen wir weiter und sehen vor uns eine Bäckerei. »Hast du Hunger?«, frage ich.

»Im Augenblick nicht. Aber ich kauf mir trotzdem was, vielleicht gibt's draußen am See nichts.«

»Dann fresse ich dich auf«, sage ich.

Als wir die Tür der Bäckerei öffnen, bimmelt eine alte Ladenglocke. Hinterm Tresen, der mit Kuchenteilen, Brötchen und Brot voll gepackt ist, lächelt uns eine weiß gekleidete ältere Frau an. Wir entdecken belegte Käse- und Schinkenbrötchen und jeder kauft drei. Außerdem kaufen wir Cola und Mineralwasser. Als die Verkäuferin neunzehn Mark achtzig verlangt, ziehe ich einen Zwanzigmarkschein aus der Tasche, lege ihn auf die Theke und sage: »Ich bezahle.«

Im gleichen Augenblick tut und sagt Gesa das Gleiche. Also liegen da zwei Geldscheine und keiner will seinen zurückziehen, bis die Verkäuferin entscheidet: »Dann bezahlt eben jeder für sich.« So passiert es auch.

Vor der Bäckerei will ich die Brötchen und die Dosen im Rucksack verstauen, als ich plötzlich Appetit kriege. Ich setze mich auf eine Treppenstufe der Bäckerei in die Sonne und packe ein Brötchen aus. Gesa setzt sich neben mich, hat ihre Brötchen schon eingepackt. Ich halte ihr meines vor den Mund, sie beißt rein, dann beiße ich rein. So essen wir Biss für Biss abwechselnd ein Käsebrötchen und trinken Cola.

Danach kaufe ich mir noch ein Brötchen. Beim Bezahlen fragt die Verkäuferin: »Wohin soll's gehen?«

»Wissen wir noch nicht.«

»Schönes Ziel«, sagt sie und seufzt etwas. »Einfach so losziehen und sich überraschen lassen, dazu hätte ich auch Lust. Aber mit so einem Geschäft, wie wir's haben, geht das nicht.«

Draußen erzähle ich Gesa, was die Frau gesagt hat. Gesa fragt: »Kannst du dir vorstellen jeden Tag so viel zu arbeiten, wie die Frau das bestimmt tut?«

»Eigentlich nicht. Aber wahrscheinlich wird es so werden, wenn ich später überhaupt Arbeit finde.«

»Ich wünsch mir Arbeit, die mir Zeit lässt für Dinge, die ich schön finde«, erzählt Gesa. »Reisen zum Beispiel oder rumgehen, wie wir's jetzt tun. Das Leben soll halt auch mit Arbeit schön sein.«

»Vielleicht wird's so«, sage ich. Dann fällt mir ein: »Eigentlich tue ich auch als Schüler ziemlich viel. Also ... fünf bis sechs Stunden Schule jeden Tag, meistens sechs, außerdem zwei AGs in der Woche. Und dazu kommen fast jeden Tag zwei bis drei Stunden Schularbeiten, Vorbereitungen für Arbeiten usw.«

»Fleißig, fleißig«, lobt Gesa mich. »Aber bei mir ist das ähnlich. Ich hab mal ausgerechnet, dass ich locker auf 'ne Fünfundvierzigstundenwoche komme. Damit arbeite ich mehr als meine Eltern im Betrieb.«

Während wir darüber reden, haben wir alles in die Rucksäcke verstaut und gehen weiter. Ein Mopedfahrer fährt an uns vorbei, Autos parken hier und wir sehen ein paar Leute. »Ich glaub, wir sind mitten in der City«, sagt Gesa. »Toller Verkehr hier, Highlife. Irres Geschäftsleben, überall Bars und Restaurants.«

Einen Schlachter gibt es, einen kleinen Supermarkt und eine Apotheke. Die Bäckerei kennen wir ja schon. Und das war es dann. Halt! Das alles wird durch eine Gaststätte mit Hotel etwas weiter vor uns irgendwie citymäßiger.

An der Seitenwand der Apotheke, auf die wir zugehen, hängt ein Automat. Wahrscheinlich einer mit Präservativen. Stimmt das? Wir gehen näher. Ich gucke mal lieber nicht zu auffällig hin, sonst sieht das aus, als hätte ich Bedarf. Verdammt! Vielleicht könnte ich die Schlafmützen später wirklich brauchen.

Ja, es sind Präservative, ganz klar. Kaufe ich eine Packung? Irgendwie ist mir das unangenehm, diese Dinger so öffentlich zu kaufen. Ein versteckter Automat wäre mir lieber. Obwohl das Quatsch ist, denn überall heißt es: Benutzt die Dinger.

Ich gucke mal, ob uns Leute beobachten. Nee, natürlich nicht, der Ort ist ziemlich öde und leer. Also ... vielleicht sollte ich welche ziehen.

Aber was denkt Gesa dann? Natürlich dass ich Präservative dabei haben möchte, falls wir miteinander schlafen. Damit weiß sie auch, dass ich daran denke und es tun möchte.

Vielleicht denkt sie ja auch daran und überlegt, ob sie welche kaufen will? Ich gucke mal zu ihr. In dem Augenblick guckt Gesa zu mir, lächelt, drückt meine Hand und schlenkert sie ein wenig. Nee, die sieht den Automaten bestimmt nicht, dabei hängt er an der Wand wie ein Ausrufezeichen.

Mensch, ich sollte mit ihr darüber reden, denn da draußen im Wald hängen die Präser nicht zum Abpflücken an den Bäumen. Aber was sage ich: Gesa, meinst du, wir brauchen Präservative? Dann müssten wir jetzt vielleicht welche kaufen, hier gibt's nämlich welche.

O Himmel, klingt das verklemmt und bescheuert. So was

hasse ich. Wir sind auch schon am Automaten vorbei, also … alles zu spät.

Oder sage ich jetzt noch schnell und irgendwie witzig: »Du, da hinten hängt ein Automat mit Präsern, wollen wir einen Vorrat anlegen? Man weiß ja nie.«

Über diesen saudummen Satz muss ich grinsen. Natürlich sieht Gesa das sofort. Die hat mich voll im Blick, die Frau. »Worüber lachst du?«, will sie wissen.

»Einfach so für mich. Mir ist was Blödes eingefallen.« Gesa guckt fragend, als sollte ich mehr erzählen. Nein … ich lasse das, obwohl ich heute ja mächtig viel rede, aber darüber lieber doch nicht. Ob sich andere auch so dämlich anstellen wie ich?

Na ja, wenn es dann vielleicht so weit ist und sie will nicht ohne Präser mit mir schlafen, mache ich mir halt einen Knoten in mein Teil.

Natürlich könnte ich immer noch »Moment mal« sagen, ganz cool, mich umdrehen, zum Automaten gehen, eine Packung ziehen, als wären es Zigaretten, und zurückkommen. Nur … ich bin nicht cool, absolut uncool sogar, was mich sonst wenig stört, jetzt aber schon.

Ach, ist das kompliziert in meinem Kopf. Ich könnte mich treten, dass ich mir das so bescheuert zusammendenke. Na ja, die Gelegenheit zum Präserkauf ist jedenfalls vorbei.

Gesa geht neben mir und guckt interessiert auf den Fußweg, als würde sie die Steine zählen. Wir schweigen noch ein wenig vor uns hin, müssen ja auch nicht ständig reden. Dann sind wir an der Gaststätte und dem Hotel. Gesa zieht mich zur Speisekarte. »Ich les die gerne«, verrät sie mir. Und sie liest vor, was es zu essen gibt: »Jägerschnitzel mit Pommes und Salat, Schaschlik.« Gesa überfliegt die Karte, schüttelt den Kopf und sagt: »Nix für mich.«

Hier geht es zum Hoteleingang und ich frage Gesa plötzlich: »Ob wir da reinkönnten?«

»Warum nicht? In 'ne Gaststätte kann jeder.«

»Ich meine, ins Hotel?«

»Wir ...?« Gesa sieht mich mit einem längeren Blick an, legt den Kopf etwas schräg. O Mädchen, das sieht niedlich aus, frech und freundlich. Ich ziehe sie an der Hand zu mir und drücke Gesa. Dann sagt sie: »Ich weiß nicht, ob die uns ein Zimmer geben würden. Möchtest du eines?«

»Hm ... mit dir ... ja. Aber natürlich ist das alles zu teuer und die Hotelleute gucken dämlich und sagen, dass wir zu jung sind und verschwinden sollen.«

Gesa zuckt die Schultern und sagt: »Du meinst, die lassen uns gar nicht rein? Ich weiß nicht. Ich war mit meinen Eltern schon öfter in Hotels. Da gab's auch junge Paare, kaum älter als wir.«

»Wahrscheinlich muss man dafür achtzehn sein. Bin ich nicht.«

»Ich auch nicht«, sagt Gesa. »Aber vom Aussehen könntest du's sein.« Sie guckt mich noch mal genauer an und meint: »Wirklich.«

»Ob die einen Ausweis sehen wollen?«, frage ich.

»Ich glaub, meine Eltern mussten nie einen zeigen, jedenfalls nicht in Deutschland. Na ja ... wahrscheinlich wäre das für uns aber wirklich zu teuer.«

Wir lassen das Hotel hinter uns. Schließlich kommen wir zum letzten Haus und letzten Garten des Ortes. Auf einem Fahrradweg neben einer kleinen Straße gehen wir weiter, vorbei an hoch gewachsenen Getreidefeldern, die bestimmt bald abgeerntet werden.

Gesa bleibt stehen und sagt: »Ich hab ja fast nicht mehr geglaubt, dass wir bei dem Tempo und den Knutschpausen durch den Ort kommen. Aber wir haben's geschafft.« Sie springt in die Luft, die Füße ballettmäßig nach unten gestreckt und die Arme ausgebreitet. Dann landet sie und erklärt mir: »War wieder 'ne Vorführung für dich.«

»Machst du Ballett?«, frage ich.

»Nö.« Sie nimmt meine Hand und sagt: »Ich glaub, zum See ist es nicht mehr weit.«

12

Einige Felder und ein kleinerer Waldstreifen trennen die beiden noch vom See. Zu Fuß dauert es keine halbe Stunde mehr bis dorthin. Am See liegen Leute. Gesa und Jos werden mit ihrem Wunsch nach Nähe bald zwischen ihnen liegen.

Da gehen sie mit ihren Rucksäcken. Immer wieder halten sie an und umarmen sich. Aus der Entfernung wirken sie dann wie ein Mensch, der sehr umfangreich geraten ist und ziemlich merkwürdig dasteht.

Sie sind begeistert voneinander. Diese erste Begeisterung hat überhaupt nicht nachgelassen, die wühlt sie innerlich auf, treibt sie an ... zum Reden, zum Streicheln, Umarmen.

Nach diesen intensiven Kennenlernstunden hat sich zwischen ihnen schon etwas verändert. Es ist kaum spürbar und tief in Jos, was da anders geworden ist. Jos fühlt und denkt nicht mehr nur »ich« oder »sie«, er denkt immer öfter »wir«. Bei Gesa ist es ähnlich. Sie wachsen ein Stück zusammen, obwohl sie sich erst kurz kennen. Und sie wachsen nicht nur zusammen, wenn sie sich umarmen, spüren.

Weil das Zusammensein sehr schön ist und das »wir« wächst, wächst versteckt auch anderes, zum Beispiel die Frage: Wann geht sie weg? Wann geht er weg? Außerdem wachsen Wünsche.

Auch der erste Widerspruch ist da. Jos hatte den Vorsatz, alles auszusprechen, was ihm wichtig ist, unverklemmt und ohne große Verrenkungen. Den Vorsatz findet er immer noch richtig, aber mit der Ausführung ist er vorsichtiger geworden, denn er ist selbst zu überrascht, was er sich schon wünscht, ausmalt, wonach er sich sehnt. Eigentlich möchte er Gesa das alles sagen. Aber er kann es noch nicht. Das muss in ihm noch wachsen. Außerdem weiß er nicht, ob die Sehnsucht, das Ausmalen bei Gesa ähnlich ist. Da will er erst sicher sein.

Bisher war das Überraschende, Spontane schön zwischen ihnen. Sie hatten Stunden für sich ohne Pläne im Kopf, lebten im Augenblick. Auch das ändert sich etwas. Die Wünsche und Sehnsüchte lassen Konturen von Plänen entstehen, sehr versteckt, aber auch sie wachsen.

Weil Jos noch nicht über das sprechen kann, was er sich wünscht, wonach er sich sehnt, wirkt er äußerlich etwas ruhiger und er kontrolliert mehr als vorher, was er sagt. Manchmal wird das Wünschen und Sehnen in ihm auch so laut und drängend, dass er gar nicht redet. Eigentlich hat Jos Gedanken und Gefühle und wieder keine Sätze dafür, jedenfalls nicht mehr für alle Gedanken und Gefühle, die ihm wichtig sind.

Aber natürlich reden sie immer noch viel miteinander, freuen sich, lachen. Und ständig ist in Jos das Gefühl, dass er zum ersten Mal seit langer Zeit etwas Tolles erlebt. Er spürt sich wieder, ist interessiert und vorhanden.

Die beiden sind nicht nur in einen Liebesfilm geraten und

nehmen das mit wie einen Film. Nein, zwischen ihnen hat eine Liebesgeschichte angefangen.

Jos weiß, das erleben viele, alle ... mehr oder weniger. Und viele spielen es herunter, das Liebesgetue und Liebesgetümmel. Mann, nimm's nicht so wichtig, bleib cool. Aber Jos spürt, etwas Wichtigeres gibt es für ihn nicht, und wenn ihn etwas begeistert, kann er nicht cool bleiben. Außerdem findet er dieses coole Getue sowieso völlig aufgesetzt, hohl und unnatürlich.

Jos grinst, als ihm sein Deutschlehrer einfällt. Wenn der über Liebesgeschichten redet, sagt er immer irgendwie abfällig: »Na ja, ist halt so 'ne Herz-Schmerz-Klamotte.« Jos sieht den Mann vor sich. Er wirkt nicht gerade wie das pralle Leben und liebesfähig eigentlich auch nicht. Anders kann der halt mit so einem Thema nicht umgehen, schade für ihn.

Gesa erzählt wieder von ihren Eltern, und zwar ziemlich begeistert. Jos findet, dass sie es beneidenswert gut getroffen hat mit ihnen. Gesa muss ihm eigentlich Recht geben. Sicher, auch ihre Eltern haben mal Knatsch oder sie hat Knatsch mit den Eltern. Aber das geht vorüber, belastet nicht lange und ist eigentlich nichts wirklich Wichtiges.

Sie weiß, viele Paare verstehen sich nicht, haben Dauerkrach oder reden erst gar nicht miteinander, gehen fremd, lassen sich scheiden. Bei ihren Eltern ist es anders. Gesa meint: Sie lieben sich.

Gesa wünscht sich das Zusammenleben mit jemandem ähnlich, wie es ihr vorgelebt wird. Bei Jos ist es nicht so. Ihn hat viel am Zusammenleben seiner Eltern gestört und er wünscht es sich ganz anders.

Gesa hatte bisher außer der Trennung von ihrem letzten Freund, die ihr schwer fiel, keine größeren Probleme gehabt.

Alles ging ziemlich glatt und das liegt auch an ihr. Jemand hat mal gesagt, Gesa ist gut fürs Leben ausgestattet. Sie kann auf Leute zugehen, ist intelligent, zärtlich, spontan, freundlich und witzig.

Mit diesen Eigenschaften hat sie Jos berührt, hat, ohne es zu wissen, seine Starrheit, seine Behinderung aufgelöst. Er ist schon seit Stunden nicht mehr nur in sich, mit ihr ist er endlich außer sich.

Wenn man sie so sieht ... sie sind ein gutes Paar oder könnten es werden. Sie passen in vielem zusammen und sie haben viele Möglichkeiten, jeder für sich und zusammen noch mehr. Aber sie wissen nicht, wie lange sie beieinander bleiben werden. Noch einige Stunden? Diesen Nachmittag, den Abend und die Nacht? Zwei, drei Tage? Keine Ahnung, aber viele unausgesprochene Wünsche.

Beide denken: Es sollte länger dauern. Bleib bei mir. Aber das werden sie nicht sagen, jedenfalls erst mal nicht. So gut kennen sie sich noch nicht, obwohl sie immer wieder mal meinen, dass sie sich schon ganz gut kennen.

Sie gehen auf dem asphaltierten Fahrrad- und Fußweg zwischen der Straße und den Feldern. Jetzt biegt ein Sandweg ab, der dann am Wald entlangführt. Weiter hinten sehen sie den See, und Gesa ruft:

13

»Mensch, Jos, ist das schön hier.« Wir bleiben stehen. Der Sandweg führt an einem kleinen Laubwald vorbei und darunter liegt der See mit seiner Schmalseite zu uns. Er sieht aus, als wäre er aus verschiedenen Farben zusammengegossen, ein wenig helles Grün, weiter hinten Graublau, seitlich dunkleres Grün. Und um den See wächst Wald, nur auf der Schmalseite vor uns gibt es einen kleinen Sandstrand und einen Rasen und da liegen etliche Leute. Längst nicht so viele wie in Badeanstalten, aber doch einige.

Gesa stützt sich mit einer Hand auf meine Schulter, mit der anderen zieht sie ihre Sandalen aus. »Ich spür gern den Boden unter mir, wenn ich gleich abhebe«, sagt sie.

Ich halte sie fest, damit sie nicht abhebt. Ganz ruhig bleibt sie im Sand stehen und sagt: »So kommt die Wärme vom Boden in mich. Gutes Gefühl.«

Ich ziehe meine Turnschuhe auch aus. Barfuß und Hand in Hand gehen wir weiter über den warmen Sandboden und Gesa sagt: »Jos, wir haben's gut!«

»Wieso?«, frage ich. »Ich leide schon die ganze Zeit. Merkst du's nicht? Wohl völlig unsensibel, was?«

Mit ihren nackten Füßen wirbelt Gesa Staub auf, dann reißt sie ihre Hand aus meiner, rennt los und lässt mich im selbst produzierten Minisandsturm zurück. »Leide mal schön!«, ruft sie. »Ein bisschen Staub schadet dir nichts, musst nachher sowieso in dieser Badewanne da unten gewaschen werden.«

Sie zeigt zum See und gleich darauf gehen wir wieder so eng, dass sich unsere Hüften und Schultern berühren. »Die knutschen auch«, sage ich.

Gesa bleibt stehen, zeigt auf eine Bank links am Weg, die ich noch gar nicht gesehen habe, und meint: »Das ist'n echt prima Knutschplatz. Da unten am See sind wahrscheinlich zu viele Leute, das könnte also wieder 'ne knutschfreie Zone werden wie vorhin im Zug.«

Einen Augenblick stehen wir voreinander. Gesa kuschelt sich an mich, drückt sich tief in meine Arme. Ich streichle ihre Schulter, zuerst über dem T-Shirt, dann darunter. Ihre Hand findet an meinem Rücken den Einstieg unter mein T-Shirt und sie klettert mit den Fingern ein Stück das Rückgrat hoch wie auf einer Leiter, bleibt auch mal stehen, streichelt. Hm … tolles Gefühl.

Ich fasse sie um die Hüften, hebe sie ein Stück hoch. Gesa lacht mich von oben an. Dann setze ich sie ab und wir rennen zur Bank. Sie knallt sich drauf und sagt: »Erste!«

»Gutes Auge für gute Knutschplätze«, lobe ich Gesa, die ihren Rucksack neben sich legt. »Klar«, sagt sie und mein Rucksack kommt unter die Bank.

Wir lehnen aneinander. Die Bank strahlt Wärme aus und vom See kommt etwas kühlere Luft. »Guck mal«, sagt Gesa, sie zeigt auf die Brombeerhecke, die hinter uns wächst. Ein paar der schwarzen Beeren wachsen uns fast in den Mund. Ich pflücke eine und puste sie ab. Gesa sperrt ihren Schnabel auf wie ein sehr großer, hungriger junger Vogel. Ich stopfe ihr die Beere rein und noch eine hinterher. »Lecker«, sagt sie. Dann füttert Gesa mich. Süß und würzig schmecken die Früchte.

Gesa nimmt eine besonders große Beere zwischen die Lippen und hält sie vor meinen Mund, dazu murmelt sie etwas undeutlich: »Selbstbedienung.« Ich küsse und sauge ihr die saftige Beere aus den Lippen. Dann nehme ich eine Beere zwischen die Lippen, drücke sie in ihren Mund, streichle mit meiner Brombeerzunge ihre warmen Lippen. Streichle mit meinen Fingern ihr Gesicht.

Gesa hält die Augen geschlossen, murmelt: »Ich schlaf nicht, seh nur so aus.« Wir sitzen da, streicheln und küssen uns. Füttern uns mit Beeren, suchen mit der Zunge tief im Mund des anderen nach versteckten Beeren. Greifen neben uns und holen neuen Vorrat. Gesas Mund ist inzwischen blauschwarz verschmiert, meiner bestimmt auch.

Ich streichle Gesas Hals, puste gegen die zarten hellen Härchen am Haaransatz. Gesa dreht sich mit geschlossenen Augen zu mir, streicht leicht über mein Gesicht und nimmt es zwischen ihre Hände. Mensch, das mag ich. Langsam öffnen sich Gesas Augen, sie sieht, dass meine geöffnet sind, rückt etwas weg und fragt: »Guckst du uns zu?«

»Manchmal, ich seh dich einfach gerne.« Ihre Arme hängen jetzt irgendwie unbeschäftigt neben ihr und sie sagt: »Ich seh dich auch gerne. Aber wenn wir uns küssen, mach ich die Augen meistens zu …«

»Damit du das Drama nicht siehst?«

»Quatsch, ich tu das, weil ich dann noch mehr spüre.« Sie schließt die Augen wieder und verlangt: »Los!«

Ich küsse ihre Lippen. In dem Augenblick blitzt ein Gedanke durch meinen Kopf: Ich glaub, ich hab 'ne Freundin. Ist sie das schon? Wird sie das? Ohne es richtig zu merken, höre ich auf, Gesa zu küssen, und gucke sie irgendwie neugierig an.

Diesen Blick fängt sie mit einem Augenaufschlag ein und sagt: »Eben hast du geguckt, als würdest du mich zum ersten Mal sehen.« Als ich nichts darauf antworte, fragt sie: »Oder hast du wieder mal nachgedacht und behältst den Gedanken geheimnisvoll für dich?«

»Ja«, antworte ich, verrate aber noch: »Es war ein schöner Gedanke.«

»Hast du auch schon unschöne gehabt, wenn du mich angesehen … oder an uns gedacht hast?«

»Überhaupt nicht … nur …«, ich überlege, wie ich das am besten sage, »nur irgendwie … unsichere Gedanken, die hatte ich schon.«

»Unsichere Gedanken? … Unsicher, ob du mich magst?«, fragt Gesa.

»Nein, anders … Ich kann's manchmal gar nicht glauben, dass wir beieinander sind, das ist so … obergut.«

Gesa guckt etwas erstaunt, versteht wohl nicht, was daran unsicher sein soll, deswegen will sie wissen: »Meinst du mit unsicher … unglaublich … irreal … so was?«

»Vor allem meine ich mit unsicher … es ist alles unheimlich schön. Aber wie lange bleibt das so? Wie lange sind wir zusammen? Wann fährst du weg … und so was?«

Am liebsten würde ich jetzt direkt fragen: Ja, wie lange bleibst du wirklich bei mir? Ich frage das aber nicht und Gesa wartet, bevor sie sagt: »Ja, die Unsicherheit kapier ich.«

Wieder entsteht eine Pause, dann sagt sie und guckt ernst: »Wir werden's erleben, wie das wird. Und weißt du … wenn wir beide das zusammen richtig obergut finden, wären wir ja saublöd, wenn wir sagen würden: So, das war's, ich fahr weiter. Wenn aber einer meint, dass er doch lieber alleine weiterfahren möchte, soll er's tun.«

»Oder sie«, sage ich.

»Ja, wir wollen da ganz ehrlich sein.« Ich nicke und sage: »Das sind also die Spielregeln.«

»Ist kein Spiel, Jos.« Gesa lächelt wieder und guckt gleichzeitig ernst und ich denke: Sie als meine Freundin … das wünsche ich mir. Die anderen Gedanken ... wie lange bleiben wir zusammen und so ... sind schon weggeschoben.

»Siehst plötzlich fröhlich aus«, fällt Gesa auf. »Du hast übrigens ein total abwechslungsreiches Gesicht, manchmal lustig, witzig, traurig, nachdenklich, halt immer wieder überraschend anders, ziemlich spannend. Auch das mag ich.«

Wir sitzen ein Stück voneinander entfernt, sitzen mehr zum Reden da als zum Schmusen. Gesa guckt auf den See und fragt: »Ob wir durchschwimmen können?«

»Längs oder breit?«

»Längs. Breit wäre kein Kunststück. Das sind nur ein paar hundert Meter. Kannst du gut schwimmen?«

»Ja, ich glaub schon. Ich geh ziemlich oft zum Schwimmen und sogar, wenn die Sonne mal nicht so scheint, dann sind nur wenige Leute da. Das gefällt mir.« Plötzlich richtet sich Gesa auf, sitzt kerzengerade, guckt mich mit ihren Glitzeraugen an und fragt: »Wohin gehst du zum Schwimmen?«

»Meistens zum großen Kiessee.«

»Und da haben wir uns gesehen!«, stellt Gesa fest. »Jetzt weiß ich's. Garantiert, denn dort bin ich auch manchmal, und zwar auf der schmalen Liegewiese.«

Während Gesa das erzählt, ist in mir ein Bild angeknipst worden. Ich wusste genau, dass es das irgendwo in meinem Gedächtnis gab. Jetzt sehe ich es: die Liegewiese am Kiessee. »Das Wetter war nicht so gut«, sage ich.

»Stimmt. Und es waren wenig Leute da.«

Ich sehe das Mädchen nur ein paar Meter von mir entfernt auf einem großen Badetuch liegen. Sie hat einen dunklen Bikini an, liest was und lächelt dann, strahlt. Eigentlich war es wie in der Bahnhofsvorhalle. Sie hat mir vom ersten Augenblick an gut gefallen, nicht nur so normal gut, richtig gut.

Gesa ahnt, was ich denke, und sagt: »Du hast immer wieder zu mir geguckt.«

»Ja, und du zu mir.« Ich sehe das Bild in meinem Kopf deutlicher und deutlicher. Es wird zu einem Kurzfilm: Gesa steht auf, geht zum Kiessee, springt rein und schwimmt los. Ich gucke hinterher. Dann kommt sie zurück. Ich gucke sie an und sage nichts.

Damals war ich sehr zu, wollte eigentlich alleine sein. Ich hatte genug mit mir zu tun und dem, was zu Hause passiert war, jedenfalls bildete ich mir das ein. Nichts und niemand sollte an mich rankommen. Das war ein Teil meiner Trauer oder jedenfalls eine Vorstellung davon. Ich war darin eingesperrt, aber manchmal habe ich aus meinem Gefängnis geguckt und dabei einmal ... ja ... Gesa gesehen.

»Es war also am Kiessee«, sage ich.

»Bestimmt. Netter Junge, hab ich damals gedacht, und das denk ich immer noch.«

»Vielleicht treffen wir uns da noch mal, dann frage ich dich, ob du auf mein Handtuch kommst.«

»Komme ich.« Gesas Kopf lehnt an meiner Schulter. Ich streichle ihre Wange und ihr Kopf rutscht über meine Brust nach unten. Auf meinem Oberschenkel bleibt er liegen.

Gesa streckt sich aus und guckt mir von unten ins Gesicht. Ich pflücke eine Brombeere. Sofort öffnet Gesa ihren Mund und ich lasse die Beere zwischen ihre Zähne fallen.

Gesa kuschelt sich an mich. Oh, das wirbelt wieder alle Hormone auf und die haben Pause gehabt und gedöst. Jetzt sind sie plötzlich hellwach. Der Aufruhr beginnt.

Mit einem Finger streichelt Gesa meinen Bauch. Alle Zündstufen sind bei mir startklar, der Count-down läuft.

Ich beuge mich nach unten zu ihren Lippen. Ziemlich

anstrengend, sich so zu küssen. Trotzdem rasen Schwärme von Glückspartikeln völlig ungebremst durchs Weltall in meinem Kopf und die senden eine Botschaft: Los geht's!

Die Glückspartikel stoßen mit den männlichen Wirbelhormonen aus der Abteilung Sex zusammen, reiben sich an denen, dass die Funken fliegen. Das feuert mich an, geht ab. Diese Energie setzt meine Hände in Bewegung. Sie irren über Gesas Schulter, kriechen durch ihre Haare. Jetzt schließen sich Gesas Augen wieder und in mir ist Ekstase.

Gesa streichelt meinen Bauch und meine Brust. Alles mächtig aufregend und ich spüre, dass diese Aufregung mein Teil wieder wachsen lässt. Es kriegt einen Schub und steht auf der Abschussrampe.

Ruhig da unten!, befehle ich. Aber der Druck von Gesas Kopf und ihre Finger an meinem Körper lassen mein männliches Teil fast ausrasten. Ich bin sicher, dass sie das spürt. Kontrollierend gucke ich in Gesas Gesicht, sie liegt völlig entspannt da. Ich möchte zu gern wissen, was sie fühlt.

Gesa bewegt ihren Kopf, ihre Hände wandern unter meinem T-Shirt herum und befühlen meine Haut. Als Antwort darauf kriechen meine Hände unter ihr T-Shirt und zu ihren Brüsten. Dann irrt eine Hand nach unten zu ihrem Nabel, stupst drauf und Gesa sagt: »Dahin will ich einen Knutschfleck.«

»Jetzt gleich?«

»Nee, nachher.«

Mein Zeigefinger berührt eine Brustwarze. Nun ziehe ich Gesas Shirt hoch und sehe ihre Brüste. Gesa hält die Augen geschlossen und fragt: »Gefallen sie dir?«

»Ich find die Form einfach toll.«

»Was meinst du mit toll?«

»Aufreizend schön, irgendwie frech, sexy, spannend … und …« Ich berühre eine Brust und sage: »… und sie fühlen sich irre an. So ganz anders als alles andere, wunderbar weiblich. Weich und fest gleichzeitig. Und außerdem sehen sie unheimlich aufregend, anziehend und streichelig aus. Ich kann gar nicht genug davon kriegen.«

»Du hast ja nur 'ne winzige Brust, Jos. Na ja, die reicht bei dir«, sagt Gesa. Sie fühlt daran, stupst dagegen.

Mensch, Gesa liegt bei mir, wir streicheln uns. Das hätte ich vor ein paar Stunden nie gedacht. Ich darf sie berühren und ich will sie gar nicht mehr loslassen.

Ich ziehe ihr T-Shirt etwas höher. Gesa zeigt auf ihre rechte Brust und sagt: »Die ist ein bisschen kleiner, irgendwie zu kurz gekommen.«

Ich gucke, sehe das aber nicht und sage: »Dann will ich sie umso mehr streicheln.« Ich beuge mich vor, berühre die Brust mit meinen Lippen. Oh, das ist ja fast eine akrobatische Verrenkung und deswegen lass ich das lieber.

Durch die Berührung ist Gesas Brustwarze ein wenig gewachsen. »Die wird größer«, sage ich.

Gesa guckt an sich runter und meint: »Das Streicheln regt sie an und da wächst sie ein bisschen.« Jetzt bewegt Gesa ihren Kopf und sagt: »Dein Schniedel ist aber noch viel mehr gewachsen, das regt ihn wohl auch an?«

»Schniedel?«, frage ich und lache.

»Ja. Ich kann auch Glied sagen, Pimmel oder Penis. Egal.«

Endlich sage ich, was ich denke, seit mich Gesa so aufregt: »Mir ist irgendwie unangenehm, dass der aufsteht und sich bemerkbar macht. Wie ist das für dich?«

»Eigentlich … normal. Wir haben ja im Sexualkundeunterricht gelernt, dass das so sein muss. Ohne diese Aufregung und den Aufstand gäbe es uns alle nicht, ist also ein wichtiges Teilchen.«

Gesa überlegt kurz, lächelt und sagt: »Früher hab ich mir mal gedacht, dass das bestimmt lästig ist und unbequem, ständig mit so einem Ding rumzulaufen. Das baumelt doch dauernd durch die Gegend. Na ja, eben baumelt es nicht … Aber wie ist das für einen Jungen wirklich, Jos? Meinen Vater wollte ich nicht fragen.«

»Man gewöhnt sich daran. Nein, so stimmt's nicht«, sage ich. »Man wird damit geboren und das Teil ist völlig selbstverständlich, ungefähr wie der kleine Zeh …«

»Ein bisschen größer wirkt es ja«, unterbricht Gesa mich und ich rede weiter: »Dann wurde ich aufgeklärt, im Kindergarten, zu Hause, in der Schule, immer wieder. Und trotzdem, in der Pubertät ist mir mein Teil etwas unheimlich und peinlich geworden, weil es so deutlich reagiert.«

»Erigiert«, verbessert Gesa und fragt: »Findest du's immer noch unangenehm?«

»Manchmal … etwas. Es sollte weniger auffällig sein.« Ich muss grinsen und Gesa meint: »Mich stört das nicht. Eigentlich finde ich es sogar toll, dass er so auf mich steht, oder denkst du gerade an ein anderes Mädchen?«

»Nee.« Eben dreht Gesa ihren Kopf langsam und mein Teil spürt das deutlich. Dann findet einer ihrer Finger das aufgeregte Ding unter ihrem Kopf, stupst es, streichelt es einmal. Gleich dreht es durch. Da zieht Gesa den Finger zurück und er verschwindet unter meinem T-Shirt.

Ich höre Stimmen. Ach, eine Familie kommt den Weg runter und auf uns zu, Vater, Mutter und Tochter. »Gesa, bleib so liegen«, flüstere ich. »Sonst falle ich auf.«

»Ist gut«, flüstert Gesa, »geh in Deckung, Schniedel.« Ich

schließe die Augen und tue, als würde ich die näher kommende Familie nicht bemerken. Gesa macht das wohl auch, denn ich höre das Mädchen. »Papa, die schlafen auf der Bank.«

»Psst!«, sagt Gesa. »Nicht wecken!« Ich öffne die Augen und die Leute gehen vorbei. Nach ein paar Schritten dreht sich das Mädchen zu uns um und sagt: »Ich glaub, das ist ein Liebespaar.« Sie bleibt stehen und guckt uns an.

Ich winke ihr und sie geht. Gesa fragt: »Wie kommt die darauf, dass wir ein Liebespaar sind?«

»Vielleicht sehen wir so aus.«

»Bist du eines?«

»Eigentlich nur ein halbes.«

Gesa nickt zu mir hoch und stupst mit ihrem Zeigefinger gegen meine Nase. Dann sagt sie: »Komm, halbes Liebespaar, lass uns weitergehen.«

Wir stehen auf, umarmen uns noch mal. Inzwischen ist es mir ziemlich egal geworden, wie mein Teil darauf reagiert. Nun nehmen wir unsere Rucksäcke und Gesa sagt: »Knutschplatz Nummer drei war gut.«

Barfuß gehen wir auf dem Sandweg am Waldrand entlang. Der See liegt groß vor uns. Plötzlich ruft Gesa: »Au!« Sie hüpft auf einem Bein und klagt: »Das war ein spitzer Stein, der pikt!«

Das Piken ist schon vorbei, Gesa legt ihre Hand in meine und wir gehen weiter. Auch hier wachsen Brombeerhecken und wir essen einige Beeren. Danach lecke und küsse ich Gesa wieder das Blaue von den Lippen.

»Schmeckt's?«, fragt sie. Ich antworte nicht, lecke weiter und Gesa sagt: »Du bist nur zu faul zum Pflücken, ernährst dich von meinen Resten.«

Der Wald ist zu Ende. Links von uns stehen einige Autos, am Seeufer liegen die dazugehörenden Leute. Es sind keine

Massen, aber menschenleer wirkt es auch nicht. Gesa hat Recht, das ist kein guter Knutschplatz. Na ja, wir wollen ja auch schwimmen.

»Bevor wir zwischen den Leuten liegen, möchte ich dich noch mal spüren, und zwar ohne Zuschauer«, sage ich. Gesas Blick fragt: Wo denn?

Ich zeige zum Streifen zwischen dem Wäldchen und dem hoch gewachsenen Feld hinter uns. Dann nehme ich Gesa an der Hand und wir gehen ein paar Schritte zurück. »Hervorragender Platz«, sage ich. Wir gucken uns den Streifen an. Ich denke wirklich, hier könnten wir uns noch ein wenig verstecken.

Gesa zuckt mit den Schultern, guckt genauer und sagt: »Eine Million Ameisen warten auf uns, achtzehntausend spitze Steine, fünfundsiebzigtausend Brennnesseln und jede Menge andere Gemeinheiten. Ist zwar alles sehr natürlich und biologisch, aber trotzdem … kein guter Platz. Abgelehnt.«

Ja. Gesa hat leider Recht und sie verlangt: »Komm, Jos, lass uns schwimmen.«

Mein Blick irrt sehnsüchtig zu dem dichten Wäldchen, in dem es bestimmt auch tolle Plätze für uns gäbe. Aber Gesa will mich im Augenblick wohl nicht so nah bei sich spüren. Will sie doch, merke ich gleich darauf, denn sie legt einen Arm um meine Hüfte und schiebt mich an, allerdings Richtung See.

Vorne am Wasser häufen sich die Leute. Weiter hinten sieht es weniger voll aus. Gesa zeigt nach rechts, wo der Strand aufhört und die Wiese beginnt. Ich zeige nach links. Nun geht Gesa nach links und ich gehe nach rechts. Schließlich einigen wir uns auf die Mitte.

Unsere Rucksäcke legen wir in den hellen Sand. »Hast du 'ne Decke mit?«, fragt Gesa. Ich schüttle den Kopf. Sie kramt in ihren Sachen und findet als Ersatzdecke einen dünnen Pullover und ich ziehe ein Handtuch aus meinem Rucksack. Die beiden Teile legen wir nebeneinander und uns darauf.

»Ich geh gleich schwimmen«, verkünde ich, während sich Gesa auszieht. Ich mache ihr das nach. Dann gucke ich zu ihr und sie zu mir. Nackt und etwas seltsam stehen wir herum, sie mit einem Bein in der Bikinihose, ich mit einem in der Badehose. Wir grinsen etwas verlegen und schlüpfen endgültig in die Badeklamotten.

Sie trägt einen schwarzen Bikini, ähnlich wie damals am Kiessee, und sie sieht toll aus. Meine Augen sind 'ne Fangruppe von ihr. Sie zoomen diese schlanke irre weibliche Frau ran, bis sie verlangt: »He, guck nicht so.«

Dann sitzen wir nebeneinander mit dem Rücken an unseren Rucksäcken. Gesa legt ihre Hand in meine, einfach so und ganz leicht. Sie hat die Beine angezogen, ihren Kopf zu mir gedreht, und sie sagt: »Wir laufen zusammen rum, halten uns im Arm, küssen uns, streicheln uns. Und dann stehen wir einen Augenblick nackt da und ich fühl mich verlegen.«

Ich nicke, denn mir ging es genauso. »Ich war neugierig, wie du in Badeklamotten aussiehst«, sage ich.

»Und?«

»Zum Knutschen.« Gesa legt ihren Kopf auf die angezogenen Knie. Ich sehe nur ein Auge von ihr und das blinzelt mich lange und groß an, bis ich sage: »Einauge, du bist ziemlich braun, jedenfalls brauner als ich.« Ich halte meinen Arm neben ihren und das zeigt, ich habe Recht.

Für unsere Verhältnisse gibt es ziemlich viel leeren Raum zwischen uns, bestimmt zwanzig Zentimeter. Also rücke ich ein Stück zu Gesa. Aber alle Arbeit will ich ihr auch nicht abnehmen und deswegen bleibe ich mit zehn Zentimetern

Abstand sitzen. Diesen Rest rückt sie zu mir. Und jetzt haben wir nicht nur starken Blickkontakt, sondern auch starken Hautkontakt.

Den Blickkontakt unterbreche ich, als ich genauer begucke, wo wir hier eigentlich gelandet sind. Einige Meter entfernt von uns liegen etliche Leute auf zwei großen Decken. Sie sind ein bisschen jünger als wir. Einer hat Kopfhörer auf und zieht sich mit geschlossenen Augen Töne ins Gehirn. Ins Auge springen zwei Mädchen, die oberteillos rumliegen und ihre Brüste von der Sonne bescheinen lassen.

Neben den Decken liegen Fahrräder und auf den Decken ist ein Paar genauso eng zusammen wie wir, nee ... sogar noch enger. Außerdem sitzen sie nicht, sie liegen beieinander, gucken sich in die Augen und umarmen sich.

Weiter vorne findet mein Auge die Familie, die vorhin an der Bank vorbeigegangen ist. Das kleine Mädchen guckt zu uns. Ich hebe meine Hand und winke, lächelnd winkt sie zurück. Ihre Eltern sitzen mit den Rücken zu ihr und gucken auf das Wasser. »He! Flirte nicht!«, murmelt Gesa. »Tu das nienicht und nimmermehr!« Während sie das sagt, winkt sie der Kleinen auch.

Auf den zwei Nachbardecken lacht ein Mädchen plötzlich so laut, dass alle zu ihr gucken. Sie steckt sich eine Zigarette an und trinkt einen Schluck Wein aus einer Flasche. »Suchtnudel«, meint Gesa. »Aber gegen Wein hätte ich jetzt eigentlich auch nichts.«

»Schluckspecht«, sage ich. Meine Augen machen einen kurzen Schwenk über die Leute, den Sand, die Wiese, den blauen Himmel und den See. Und die Augen finden das alles sehr okay. Dann kehren sie wieder zu Gesa zurück, haben mit ihr genug zu tun und jede Menge freudige Augenblicke.

Ich streichle Gesas Arm, und die dünnen, hellen Härchen richten sich sofort auf. Ich streichle den Arm hoch, langsam über ihre Schulter und den Rücken runter. Dabei sehe ich, dass das kleine Mädchen immer noch zu uns guckt.

»Hast du ein Sonnenschutzmittel mit?«, fragt Gesa.

»Faktor vierzehn«, antworte ich.

»Reibst du mich ein?« Ich nicke sofort begeistert. »Aber erst mal will ich ins Wasser«, sagt Gesa. Schon steht sie, streckt mir die Hand entgegen und meint: »Älteren Männern muss man helfen.«

Ich springe auf, renne zum See, Gesa rennt neben mir. Als ich bis zu den Oberschenkeln im Wasser stehe, hechte ich, tauche und komme nach ein paar Metern hoch. Gesa taucht im gleichen Moment neben mir auf und prustet: »Ah ... toll!« Dann lässt sie sich etwas sinken, guckt gerade so aus dem Wasser und sagt: »Hier kann ich noch stehen.«

Ich schiebe mit den Händen eine Welle gegen Gesa und sie schließt schnell den Mund. Im Wasser sind nur wenige Leute, fast alle liegen in der Sonne und braten. Gesa kommt zu mir, dabei gucken ihre Augen knapp über die glitzrige Wasseroberfläche. Kurz vor mir bleibt sie stehen, legt ihre Arme um meinen Hals und küsst mich auf den Mund.

»He«, protestiere ich, »du hast gesagt, am See ist knutschfreie Zone.«

»Wir sind nicht am See, sondern im See, du Walross«, meint Gesa. »Außerdem ist mir egal, was ich vorhin gesagt habe. Eben merke ich, dass ich dich saugern küssen möchte. Also tu ich's.«

Ich flüchte, Gesa verfolgt mich, ich lasse mich einholen und sie küsst mich auf die Schulter. Jetzt lege ich meine Arme um sie, drücke sie an mich, drücke ihren Po, ihre Hüfte, streichle sie. »Das ist gut hier«, sage ich. »Mein Teil kann sich aufregen wie irre, vom Ufer aus sieht das niemand.«

»Regt dich das sehr auf?«, fragt Gesa. Ich nicke und sie wirft mir mit der hohlen Hand Wasser ins Gesicht. »Und das kühlt dich ab«, meint sie.

Ich drängle mich an sie. »Ist wirklich besser, dass uns hier niemand so richtig sehen kann«, sagt sie. »Ich glaub nämlich, dir ist 'ne Schwanzflosse gewachsen.«

Sie lacht, schluckt dabei etwas Wasser und haut mit den Händen auf die Wasseroberfläche, dass es knallt und spritzt. Dann muss auch ich lachen, weil mir plötzlich was einfällt. Gesa wollte wegschwimmen, bleibt nun stehen und verlangt: »Erzähl!«

»Als kleiner Junge hab ich gedacht, wenn ich mal ein Mädchen küsse, tu ich das nur unter Wasser, denn da sieht's keiner.«

»So was hab ich nie gedacht«, sagt Gesa.

»Du wolltest ja auch kein Mädchen küssen.«

»Stimmt. Und einen Jungen hab ich geküsst, bevor er's getan hat. Einen einzigen.« Sie zeigt auf mich und meint: »Wir können das Unterwasserküssen ja mal probieren.«

Schon ist Gesa abgetaucht und ich tauche hinterher. Mit offenen Augen schwimmen wir unter Wasser aufeinander zu. Sie pustet sprudelnde Luftbläschen zwischen uns. Ich tauche durch die Bläschen, halte Gesas Arm, finde ihren Mund und küsse ihn. Sofort küsst sie zurück. Jetzt lassen wir uns los und ich atme Luft aus. Wie schwerelos sinke ich nach unten. So treibe ich zu ihr und umarme sie wieder. Fast gleichzeitig tauchen wir auf und Gesa schüttelt ihre Haare, dass der Minipferdeschwanz fliegt. »Hast du dir das Unterwasserküssen als kleiner Junge so vorgestellt?«, fragt sie.

»Ja … so ähnlich, aber ich war ängstlicher als eben.«

Wir schwimmen langsam nebeneinander und sie will wissen: »Wie alt warst du damals?«

»Na ... so ungefähr zwölf.«

»Hast das Küssen bestimmt auch über Wasser ziemlich geübt«, meint Gesa. Ich suche Boden unter den Füßen, stehe auf den Zehen und der Mund ragt gerade noch über den Wasserspiegel. Zufällig schaue ich zum Ufer. Dort steht das kleine Mädchen, das uns vorhin angeguckt hat, und guckt wieder zu uns. Gesa bemerkt sie auch und ich frage: »Woran die wohl denkt?«

»Vielleicht überlegt sie, was wir unter Wasser gemacht haben.« Gesa schwimmt los, liegt flach auf dem Wasser. Leicht und schön sieht das aus. Ich schwimme neben ihr. Plötzlich kommen wir in eine kühle Strömung, danach ist es wieder angenehm warm. Ich kraule ein Stück, das kann ich besser als Brustschwimmen, habe das auch früher gelernt. Jetzt kraule ich so schnell ich kann. Wenn der Körper wie eben durchs Wasser gleitet, ist das ein tolles Gefühl.

Ich schwimme wieder langsamer und Gesa ist sofort bei mir. Dann legt sie sich auf den Rücken. Ich lege mich daneben und sage: »Komm, wir schwimmen Hand in Hand.« So spielen wir tote Frau und toter Mann, obwohl sich unsere Hände lebendig festhalten.

Hier draußen sind die Wellen etwas höher. Ich drehe mich zum Ufer um. Höchstens ein Drittel des Sees sind wir rausgeschwommen. Wir lassen uns treiben und schaukeln. Schließlich schwimmt Gesa Richtung Ufer zurück und ich komme mit. »Du schwimmst gut«, sagt sie. »Bist du im Verein?«

»Nee, ich mag das regelmäßige Training nicht.«

»Für mich wär das auch nichts«, sagt Gesa, »obwohl ich gerne schwimme.«

»Können wir zusammen machen«, schlage ich vor.
Im Wasser vor uns steht das kleine Mädchen mit ihrem Vater. Sie bespritzen sich, freuen sich und lachen. Gesa erzählt: »Ich war mit meinen Eltern auch oft beim Baden, hat Spaß gemacht.« Sie strahlt und ich sehe, wie schön das für sie gewesen war. »Mit meiner Mutter war das Baden auch gut«, erzähle ich.
»Dein Vater ist nicht mitgekommen?«
»Nee, dem gefällt das nicht, eigentlich schade.«
Wir steigen aus dem Wasser. Ganz kurz fällt mir ein, dass ich von meiner Mutter reden kann, ohne traurig zu sein.
Gesa und ich teilen uns ein Handtuch und trocknen uns ab. Damit ist eine unserer zwei Ersatzdecken unbrauchbar. Deswegen breiten wir das nasse Ding in der Sonne aus und wir legen uns auf den Bauch daneben.
»Wir sollten uns eincremen«, schlägt Gesa vor.
»Ich fang mit deinem Rücken an«, sage ich und Gesa nickt. Tief unten in meinem Rucksack finde ich die Sonnenmilch. Plötzlich wühlt auch Gesa in ihrem Rucksack. »Ach, die Zeitung hab ich immer noch nicht gelesen«, sagt sie. Nun holt sie einen grünen Apfel und den flüssigen Süßstoff raus.
»Igitt«, sage ich.
»Du hast keine Ahnung«, meint sie, »das ist eine tolle Diät.« Sie reibt am Apfel und tröpfelt etwas Süßstoff drauf. »Als Geschmacksverstärker«, erklärt Gesa.
Ich sehe ihr genau zu, obwohl ich gar nicht richtig beachte, was sie wirklich tut. Ich sehe Gesas Bewegungen, ihre Art, ihre Haut, ihr Lächeln, ihre Figur, sehe, wie sie ihren Kopf hält und den Süßstoff interessiert anguckt. Und ich spüre diesen Kick in mir, den sie auslöst.
Gesa guckt am Süßstoff vorbei zu mir und sagt: »Es sieht schön aus, wenn du lächelst.«

»Und du siehst überhaupt schön aus, Gesa.«

Prüfend guckt sie an sich runter und meint: »Ich bin nicht schön.«

»Doch, bist du«, widerspreche ich. »Ich hab Augen im Kopf.«

»Also, ich finde, ich bin etwas zu dick«, behauptet Gesa.

»Wo?«, frage ich. Aber Gesa redet weiter. »Außerdem passt meine Nase nicht richtig zu meinem Gesicht, die ist zu dünn und zu lang.« Ich hocke neben Gesa, gucke ihre Nase an und sage: »Du spinnst.«

»In dem Fall darfst du so was ausnahmsweise mal sagen«, meint Gesa. »Und wenn du mich so ansiehst, denke ich wirklich, du findest mich ... na ja ... schön. Und das ist schön.«

Wir knien voreinander. Gesa legt ihre Hände auf meine Wangen. Das macht sie gerne und ich mag das gerne. Dann zieht sie mich zu sich, küsst mich auf den Mund. Warm und weich sind ihre Lippen. »Du«, sagt sie leise, »ich glaub, ich hab dich wirklich lieb.«

Der kurze Satz fährt in mich wie ein freudiger Blitz. Irrerweise fällt mir ein: Das müsste mein Vater hören, der würde sagen, die Lady spinnt, hat 'ne Geschmacksverirrung. Aber was sucht mein Vater jetzt in meinem Kopf? Verschwinde, Alter!

Gesa kichert und verlangt: »Schließ die Augen.« Ich tu das sofort und sie befiehlt: »Öffne die Lippen.« Auch jetzt gehorche ich, doch ich merke sofort, dass das ein Fehler war, denn zuerst fallen ein paar Tropfen auf meine Lippen, dann schmeckt etwas scheußlich süß.

»Nicht ausspucken«, sagt Gesa und schließt mir die Lippen mit einem ellenlangen Kuss. Als wir aus dem auftauchen, ist der Geschmack fast weggeküsst. »Ich hab doch gesagt, der

Süßstoff ist ein Geschmacksverstärker, sogar beim Küssen stimmt das. Außerdem war das garantiert der erste Diätkuss, den du bekommen hast«, sagt Gesa.

Igitt, sie hat mir Süßstoff auf die Lippen geträufelt.

Gesa nimmt ihren gesüßten Apfel und beißt rein. »Lecker«, behauptet sie und hält mir das grüne Ding vor den Mund. Also beiß ich auch rein und sage: »Der Apfel schmeckt gut, der Süßstoff darauf ... bescheuert.«

»Dann ess ich ihn eben alleine«, meint Gesa. »In der Zwischenzeit kannst du mich endlich einreiben.« Sie legt sich auf den Bauch und ich knie neben ihr im Sand. Mit der Plastikflasche tupfe ich weiße Punkte auf ihren braunen Rücken. Ohne dass sie es merkt, entsteht so ein Herz aus Sonnenmilchpunkten, das ich langsam verstreiche.

Na ja, das ist mehr ein Verstreicheln als Verstreichen. Ich streichle sie auf der Seite mit Sonnenmilch ein, dann am Hals, fahre langsam an ihrem Rückgrat runter und rauf. »Mach weiter«, murmelt Gesa. »Das ist gut.« Dazu beißt sie in den Apfel, dass es knackt. Und ich mache weiter. Träufle Sonnenmilch in meine Hände. Meine Sonnenmilchhände streicheln über ihre Beine, streicheln auch die überall ein. Die Innenseiten ihrer Oberschenkel sind besonders weich und dort bleibt meine Hand kurz liegen.

Langsam streichle ich weiter zu ihren Zehen, die sie schnell wegzieht. Ach, sie ist wohl kitzlig. Kurz über dem Bikinirand am Po entdecke ich eine dicke Spur Sonnenmilch. Ich streichle auch die in die Haut, spüre dabei ihren Po. Ein Finger fährt unter ihren Bikinirand und wieder zurück.

Gesa liegt vor mir, sieht einfach sexy aus. Ich knie da, streichle noch mal langsam über ihren Hals, ihren Rücken, ihren Po und die Beine. Verabschiede mich so von Gesas Rückseite.

»Ich glaub, das ist kein Einreiben mehr«, sagt sie und dreht sich mit Schwung um. Das soll wohl heißen, dass ihre Vorderseite dran ist. »Du bist ein Schmusetier«, sagt sie noch.

Ich kleckse etwas Sonnenmilch auf ihre Nase, und Gesa schließt die Augen. Dann reibe ich ihr Gesicht ein, die Augenlider ganz vorsichtig. Fühle jeden Zentimeter ihres Gesichts. Nun kommen der Hals und die Schultern dran. Ich tropfe Sonnenmilch auf ihren Brustansatz über dem Bikini, und dort streichle ich ihre braun glänzende Haut besonders lange. Streichle mit einem Finger unter den Bikini. »Du hast dich verlaufen«, warnt mich Gesa leise. Meine Finger laufen zurück und streicheln den restlichen Oberkörper, den Bauch und die Beine ein.

Das ständige Berühren ihrer Haut ist aufregend schön und sehr erotisch, turnt mich vollkommen an. Mein Motor läuft auf Hochtouren. Die Hormone sind längst wieder aus dem Parkhaus gerast und toben herum, wollen sich auf keinen Fall an irgendwelche Verkehrsregeln halten.

Ich hab's geahnt, Gesa ist meine Droge. Ich spüre geballte Zärtlichkeit im Kopf, im Hals, in der Brust, im Bauch, überall. Dieses Gefühl sprengt mich gleich. Einen Augenblick berühre ich Gesa nicht, knie nur da. Dann küsse ich ihre warme Schulter.

Die Gefühle in mir werden zu Wünschen, die unausgesprochene Sätze entstehen lassen: Mensch, Gesa, ich möchte bei dir liegen, dich berühren bis zum Wahnsinn. Ich möchte mit dir schlafen. Und jetzt gibt es keine Stimme mehr in mir, die diesen Wünschen widerspricht.

Ich streichle Gesa weiter mit Sonnenmilch ein, während die Spannung in mir hochexplosiv wird. Ich gucke an mir runter. Ja, die Spannung ist nicht nur in mir, sie zeichnet sich mal wieder gut sichtbar ab. Mein Teil drückt gegen den Stoff der Badehose, als möchte es flüchten, und es sondert Spuren von Samenflüssigkeit ab.

Warum muss der Kerl da unten nur immer so ehrlich sein? Ich glaube, ich sollte besser noch mal mit ihm ins Wasser, wenigstens kurz. Das beruhigt ihn wahrscheinlich und beseitigt die Spuren. Ach Quatsch, ist doch alles völlig normal und im grünen Bereich, rede ich mir zu. Dabei streichle ich noch etwas Sonnenmilch in Gesas Haut.

Gesa öffnet die Augen, guckt mich an. Ruhig und entspannt sieht sie aus. Vielleicht regt sie das alles weniger auf als mich oder es regt sie anders auf. Bevor ich darüber nachdenken kann, sagt sie: »So … und jetzt bist du dran.« Ich lege mich schnell auf den Bauch, verstecke so meinen Aufstand, obwohl sie der ja eigentlich gar nicht stört.

Sie streicht mich langsam ein, streicht die Sonnenmilch ganz zart mal mit den Fingerspitzen und mal mit der ganzen Hand in meine Haut.

Einige Augenblicke spüre ich einen großen kühlen Sonnenmilchklecks auf dem Rücken, den verstreicht sie zu einer warmen Fläche, die sie streichelnd weiter verteilt.

So eingerieben und gestreichelt zu werden ist für mich genauso aufregend, wie das selbst zu tun. Ich schließe die Augen, sehe durch die Lider bunte Lichtreflexe. Als Gesa meinen Hals einreibt, drehe ich mich um und ziehe sie auf mich runter. Ich drücke Gesa an mich, spüre sie ganz nah und küsse ihren Mund. Dann drehe ich mich wieder um und sie reibt mich weiter ein.

Als Gesa an meinem Fuß ankommt, fragt sie: »Bist du da kitzlig?« Ich schüttle den Kopf und lüge: »Nee.« Sie glaubt mir das wohl nicht und streichelt mich zur Probe an der Fußsohle.

Ich schaffe es gerade noch, mich zu beherrschen. Aber Gesa kitzelt weiter, bis ich es schließlich nicht mehr aushalte. Ich pruste los und der Fuß zuckt weg.

In der Zwischenzeit bin ich so ent-regt, dass ich mich umdrehen kann. Nun streichelt Gesa meine Vorderseite sehr genau und zärtlich ein, bis wir vor der Sonne geschützt nebeneinander sitzen.

Einen Arm habe ich um ihre Schulter gelegt, sie einen Arm um meine. Ich gucke auf das glitzrige Wasser, spüre die Sonne und Gesa neben mir. Ach, ich könnte die ganze Welt umarmen. Na ja, Gesa würde reichen und die habe ich ja im Arm.

Ob sie auch mit mir schlafen möchte?, überlege ich. Frage ich sie einfach ... so ganz plötzlich? Nein, das tu ich nicht, und ich schlucke die Frage runter.

Meine Blicke spazieren vom Wasser zu den herumliegenden Leuten. Das kleine Mädchen guckt wieder zu uns. Wie vorhin sitzt sie hinter den Rücken ihrer Eltern. Ich hebe meine Hand etwas, winke. Sie lächelt, hebt auch eine Hand und winkt zurück.

Dann landet mein Blick bei der Gruppe nebenan, die auf zwei Decken verteilt ist. Alle sind braun, als würden sie oft hier liegen. Der eine hört immer noch Musik, andere reden. Inzwischen ist die Flasche Wein leerer geworden. Ein Junge singt vor sich hin. Eins der Mädchen ohne Bikinioberteil beugt sich nach vorne. Gesa sieht meinen Blick und meint: »Ich finde, ihre Brust ist zu dick. Bei der anderen daneben sieht das besser aus.«

Ich gucke zum anderen Mädchen ohne Oberteil. »Stimmt«, sage ich.

Das Paar liegt immer noch nah beieinander. Im Augenblick rutscht sie schräg auf ihn und sie probieren einen Dauerkuss. Die anderen sehen kaum hin, sind das Geknutsche bei den beiden wohl gewöhnt. Jetzt dreht sich der Junge mit dem Mädchen so, dass er halb auf ihr liegt, und sie streicheln sich ... ohne Sonnenmilch.

Ich rücke näher zu Gesa, küsse sie auf die Wange und die Schulter. Gesa meint: »Du kriegst beim Zusehen wohl Appetit.«

»Hab ich sowieso«, antworte ich. Das Paar dreht sich wieder und nun liegt sie oben. Dabei sind die zwei von der Decke gerollt. Einer aus der Gruppe gähnt laut. Ein Mädchen steht auf, geht zum Wasser und ein Junge guckt hinter ihr her.

Inzwischen knutscht das Paar nicht mehr, es steht nebeneinander. Das Mädchen bückt sich kurz, hebt etwas auf. Dann gehen die beiden Richtung Wald und halten sich an den Händen. »He, was habt ihr vor?«, fragt eines der Mädchen. Sie bekommt keine Antwort und einer lacht.

Der schmal aussehende braune Junge in bunter Badehose und das Mädchen mit schwarzen kurzen Haaren und schwarzem Tanga sind zwischen den Bäumen verschwunden. »Wow!«, macht Gesa. Und ich sehe, dass auch das kleine Mädchen das alles beobachtet hat. Außerdem hat sie uns beim Beobachten zugesehen.

Gesa ist in Gedanken bei dem Paar im Wald und sagt: »Puuh! Die sind ganz schön zur Sache gegangen, haben's eilig.«

Sie hat sich zurücksinken lassen, guckt mehr in sich als um sich. Plötzlich frage ich: »Und wir?«

»Was meinst du?«

»Haben wir's auch eilig?«

Gesa bleibt liegen, antwortet erst nicht, dann sagt sie langsam: »Nein, ich hab's eigentlich nicht eilig. Für mich ist es schön, wie es ist ... glaube ich.«

Beim Reden hat sie die Augen geschlossen, jetzt öffnet sie

die wieder und guckt mich fragend an. Sie möchte wohl wissen, wie es für mich ist. Was ich will.

Ich bleibe ruhig, schlucke meine Wünsche runter, weil sie anders sind als ihre, deutlicher, verlangender. Sie wären aussprechbar gewesen, wenn ich vermuten könnte, Gesas Wünsche wären ähnlich wie meine. So warte ich halt.

Da sagt Gesa: »Als du mich eingerieben hast, war das irre aufregend, total erotisch.« Sie erzählt weiter: »Ich hab gedacht, was bin ich blöde. Vorhin im Ort ... an der Apotheke ... hab ich einen Präserautomaten gesehen und überlegt, kauf ich zur Vorsicht eine Packung oder nicht? Rede ich mit dir darüber oder lasse ich's? Du hast ziemlich geistesabwesend geguckt und da hab ich meinen Mund gehalten. Ziemlich dämlich, was?«

Ich gucke Gesa fassungslos an und sage: »Als wir an der Apotheke vorbeigegangen sind, hab ich die ganze Zeit das Gleiche überlegt.«

Gesa richtet sich auf, lacht und ich lache mit ihr. Weil sie gerade dasitzt, sehe ich deutlich ihre Brüste im Bikinioberteil. Meine Augen nisten sich da ein, zeichnen die schöne spannende Form nach. Sie zeigen mir, was ich auch fühlen möchte. Deswegen bewegt sich mein Finger auf ihren Ausschnitt zu, streichelt darüber. Gesa lässt sich nach hinten sinken, verschränkt die Arme über ihren Brüsten und fragt: »Wolltest du die Präservative für uns?«

»Für wen sonst?«

Sie zuckt mit den Schultern und meint: »Viele Mütter haben nette Töchter, vielleicht für die?«

»Nein, für uns. Aber es kam mir irgendwie zu schnell und zu früh vor, welche zu kaufen. Und ich hatte keine Ahnung, wie du das findest, wenn ich welche ziehe. Es könnte aufdringlich sein, zu deutlich, all so was hab ich mir vorgestellt. Obwohl …« Mehr will ich jetzt nicht sagen und bin ruhig.

Gesa seufzt und meint: »Die Phantasien laufen manchmal ziemlich weit davon.« Sie zögert und sagt dann leise: »Auch die Wünsche tun das.«

Heißt das, dass sie mit mir schlafen möchte? Oh … ist das kompliziert. Gesa guckt vor sich hin und ich sehe ihr an, wie beim Denken langsam Sätze entstehen, die sie dann sagt: »Wenn man aber genau spürt und sicher ist, dass das Wünschen und die Phantasien beim anderen ähnlich sind, kann wahrscheinlich alles passieren. Ich glaub, bei den beiden, die im Wald verschwunden sind, war das so.«

»Glaub ich auch«, sage ich, dann fällt mir ein: »Hoffentlich merkt man, dass das Wünschen beim anderen ähnlich ist.«

»Wenn man darüber redet, merkt man's«, meint Gesa. »Und vielleicht spürt man's sogar, ohne zu reden.«

Dazu will ich gerade etwas sagen, als das kleine Mädchen vor uns steht. Sie ist hergekommen, ohne dass wir sie gesehen und gehört haben. Dünn sieht sie aus und zart und sie ist blass. Sie guckt uns an, große dunkle Augen hat sie, ähnlich wie Gesa. Und sie hält irgendwas in der Hand, was ich nicht erkenne. Sie steht immer noch vor uns und sagt nichts, deswegen sage ich: »Hallo.«

»Hallo«, sagt sie und lächelt etwas.

»Wie heißt du?«, frage ich.

»Hannah … mit ›h‹ hinten und vorne.« Jetzt lächelt sie stärker.

»Und wie alt bist du?«

»Bald fünf … in …« Sie zählt das an den Fingern ab und sagt: »In fünf Wochen.« Nun fragt Hannah: »Und wie alt bist du?«

»Schätze mal.«

»Fünfundzwanzig.«

»Nein, ich werde bald siebzehn.«

»Bald siebzehn«, wiederholt sie. »Du bist schon ziemlich alt, aber nicht so alt wie mein Papa und meine Mama.« Sie guckt zu ihren Eltern, die mit den Rücken zu uns auf der Decke sitzen. Dann will sie wissen: »Ist das schön, wenn man bald siebzehn ist?«

Ich gucke zu Gesa, die uns gespannt zuhört. »Ja«, antworte ich, »ich find bald siebzehn gerade sehr schön.«

»Weil das Wetter schön ist und weil's hier schön ist?«, fragt Hannah und guckt neugierig.

»Auch deswegen.«

»Warum noch?«

»Weil's mit Gesa schön ist.«

Sie guckt zu Gesa und sagt: »Das ist Gesa.«

Wir nicken und Hannah sagt: »Ja, das sehe ich, dass es bei euch schön ist. Deswegen muss ich immer zu euch gucken.«

Während des Redens ist das Mädchen noch näher gekommen. Jetzt hockt sie sich vor uns in den Sand und erzählt: »Ich hab auch einen Freund, den Florian nämlich. Der ist mit seinen Eltern weit weggefahren, nach Australien. Das find ich nicht schön, weil ich nicht mit ihm fahren konnte. Aber ihr, ihr könnt zusammen wegfahren. Das ist toll.«

Das Mädchen spricht leise und wir müssen ihr genau zuhören, damit wir sie verstehen. »Seid ihr ein Liebespaar?«, fragt sie. Ich gucke zu Gesa, die zu mir guckt, und ich nicke, im gleichen Augenblick nickt auch Gesa und sagt: »Ja, wir sind eines, aber noch ein ganz neues.«

Hannahs Vater dreht sich zu uns. »He, Hannah!«, ruft er. »Wollen wir baden?«

»Gleich!«, ruft Hannah. Sie gibt Gesa etwas, was sie bisher

in der Hand gehalten hat, und verlangt: »Müsst ihr teilen.« Dann sagt sie »tschüs« und rennt zu ihren Eltern.

Gesa hält einen Riegel »Lila Pause« in der Hand. »Die Hannah ist lieb«, sagt sie, bricht das Stück durch und gibt mir die Hälfte. Etwas weich ist es, aber es schmeckt gut.

Das Mädchen und ihre Eltern gehen zum Wasser und wir sitzen ruhig da, Gesa und ich. Ich weiß nicht, warum mich das kurze Gespräch mit dem Mädchen so berührt hat. Sie wirkt ... völlig ehrlich, traurig und neugierig. Schließlich sagt Gesa: »Ihr habt prima geredet, die Kleine und du. Sie weiß schon viel und kann gut fragen. Tolles Mädchen.«

»Warst du ähnlich wie sie?«, will ich wissen. Gesa guckt der Kleinen nach und sagt: »Damals war ich vielleicht ähnlich groß und schmal.«

»Und deine Augen, die haben bestimmt ausgesehen wie ihre.«

»Ja ... schon möglich«, meint Gesa. »Aber weißt du, Jos, ich hätte nicht so direkt fragen können wie sie.«

Im Augenblick haben wir Sendepause, lassen uns von der Sonne bescheinen. Gesa holt ihren Walkman aus dem Rucksack. Sie schließt sich an die Musik an und macht die Augen zu. Von der Doppeldecke drüben beschallt mich leiser, schneller Techno-Beat. Gesa hält mir einen Kopfhörer ans Ohr. Ich höre eine eigentümliche Frauenstimme, kühl klingt die und so, als käme sie aus größerer Entfernung. Sie singt über einem langsamen Schlagzeug-Beat und ihr Klang prägt sich sofort ein. Das ist keine Musik zum Tanzen, sondern eine zum Hören.

Ich höre mit einem Ohr den Beat von der Doppeldecke, zucke dazu mit einem Fuß und höre mit dem anderen Ohr Gesas Musik.

Immer mehr Leute packen inzwischen ihre Sachen und

gehen. Das wirkt fast wie verabredet. Wahrscheinlich gibt es überall bald Abendessen.

Ich strecke mich neben Gesa aus, die wieder mit beiden Kopfhörern Musik hört. Mein Zeigefinger schreibt ihren Namen auf ihren Rücken. Sie dreht sich zu mir und fragt: »Heißt das Gesa?« Und ich nicke.

Mir fällt ein, dass sie einen Knutschfleck wollte. Also poche ich an ihren Rücken und sie dreht sich mit den Kopfhörern wieder zu mir. Ich frage ganz deutlich, dass sie es mir möglichst von den Lippen ablesen kann: »Knutschfleck!?«

Gesa wiederholt das Wort, aber nur mit den Lippen, als hätte man ihr den Ton abgestellt. »Halt!«, ruft sie da und reißt die Kopfhörer runter. »Ich will erst mal deinen Bauchnabel ansehen. Bauchnabel sind nämlich sehr interessant, das hab ich dir schon mal erzählt. Jeder sieht anders aus. Ich muss deinen erforschen.«

Gesa beugt den Kopf tief über ihr Forschungsobjekt, streichelt meinen Bauch mit den Fingerspitzen, entdeckt dabei sehr empfindliche Stellen. Ein irres Gefühl, zum Davonfliegen. Dann guckt sie lang und genau und sagt: »Dein Bauchnabel ist richtig gut, nicht zu groß, nicht zu klein, eine niedliche Höhle. Und tief in der Höhle steckt ein schwarzer Punkt ... wie ein kleiner Popel. Da bist du beim Waschen nicht richtig hingekommen. Dein Nabel sieht aus ...«, sie guckt noch mal, »fast wie eine Augenhöhle.«

Gesa beugt sich tiefer, streift mit der Zunge über diese Höhle. Oh ... sehr erotisch.

Ihre Nabelschau ist abgeschlossen und ich drehe mich auf den Bauch. Lege mich so, dass ich Gesas Nabel begucken kann. Sie zeigt drauf und sagt: »Bis dahin ging im Bauch meiner Mutter die Pipeline von ihr zu mir und durch die kam alles, was ich gebraucht habe. Ist 'ne irre Vorstellung, wenn ich's mir genau überlege.«

Als ich mir das vorstelle und meine Mutter dabei sehe, zuckt wieder dieser traurige Erinnerungsblitz durch mich. Aber meine Trauerbilder machen sich nicht selbstständig, beherrschen mich nicht. Und Gesas Aufforderung: »He, vergiss den Knutschfleck nicht« holt mich völlig zurück.

Ich drücke die Lippen neben Gesas Nabel, vergesse da für den Augenblick alles, auch die Leute in der Nähe. Meine Lippen beginnen zu saugen und zu küssen, plötzlich sagt Gesa: »Halt! Besser nicht dorthin, da sieht den Knutschfleck jeder. Ein bisschen tiefer.«

Sie zieht den Gummi ihrer Bikinihose einen Zentimeter runter und verlangt: »Dahin.«

Ich küsse und sauge mich an der weichen Stelle fest, beiße ein wenig. Küsse, beiße und sauge lange. Als ich kaum noch Luft bekomme, puste ich, drehe mich um und lege meinen Kopf auf Gesas Bauch.

Sie beugt sich über mich und streichelt mein Gesicht, verwuschelt meine Haare mit den Händen. Dann sagt sie: »He, ich will den Knutschfleck sehen.« Also wälze ich mich zur Seite.

»Ja, der ist gut«, lobt sie, »richtig groß und rot und blau. Irgendwann wird er auch noch gelb und grün. Klasse Knutschfleck. Du kriegst nachher auch einen.«

Wir waren wie abgetaucht und nur mit uns beschäftigt, jetzt tauchen wir wieder auf. Einige Leute von der Doppeldecke gucken zu uns. Ein Junge lächelt rüber und in dem Augenblick kommt das Paar langsam aus dem Wald zurück. Uns beachtet keiner mehr. Der Junge, der zu uns rübergelächelt hat, fragt die beiden laut: »War's schön?« Eine Mädchenstimme sagt: »Bestimmt. Guck sie dir doch an.«

Die zwei antworten nicht. Sie gehen zum See und springen rein, tauchen kurz und schwimmen dann. Gesa sieht ihnen hinterher und ich frage: »Ob die wirklich …?«

Eigentlich wollte ich das gar nicht laut fragen, es kam mir unkontrolliert über die Lippen. »Nienicht und nimmermehr«, meint Gesa grinsend. »Auf keinen Fall haben die gevögelt. Die waren Blaubeeren pflücken. Hast du's nicht gesehen, sie haben ein Glas voll aus dem Wald mitgebracht.«

»Hab ich nicht gesehen«, staune ich. Gesa lacht über mein verblüfftes Gesicht und sagt: »Das mit dem Blaubeerenpflücken war Quatsch, die haben bestimmt gevögelt. Irgendwie ist das klar.«

Ich gucke zum See, wo die beiden nebeneinander schwimmen. »Vögeln ist ein seltsames Wort«, sage ich.

»Finde ich auch«, meint Gesa. »Es klingt nach Vogelpark, vielen bunten Federn und mächtigem Gepiepe und Geflattere. Weißt du ein besseres Wort dafür? Mir fällt keines ein.«

»Miteinander schlafen klingt so … ruhig … zum Gähnen müde.«

»Und deswegen passt das nicht richtig.« Gesa setzt sich neben mich, zieht die Beine an. Ich sitze genauso. »Wirklich seltsam, dass es dafür kein gutes Wort gibt, das … ja … auch irgendwie zärtlich klingt, nach Liebhaben«, sagt sie.

»Sich lieben«, schlage ich vor.

»Zu abstrakt und ziemlich undeutlich«, meint Gesa.

»Wie wär's mit … Geschlechtsverkehr, Abkürzung GV?«, frage ich.

Gesa verzieht das Gesicht, als hätte sie in eine Zitrone gebissen, und meint: »Ätz! Kotz!«

»Stimmt«, gebe ich ihr Recht. »Und was hältst du von … sie treiben's miteinander?«

»Würg!«, kommentiert Gesa. »Da vergeht frau jeder Appetit auf ...«

»Ja, auf was?«, will ich wissen und frage: »Hast du Appetit?«

Gesa antwortet nicht, sie sucht in ihren kleinen grauen Zellen immer noch nach einem passenden Ausdruck dafür. »Jemanden vernaschen«, fällt ihr ein.

Ich schüttle den Kopf. Gesa sagt: »Ficken klingt für mich ordinär. Bumsen und vögeln klingen ein bisschen besser. Mit etwas Anstrengung kann man die Wörter sogar fast zärtlich sagen.«

Ich versuch das mal und flüstere: »Bumsen.« Gesa nickt und sagt leise: »Vögeln.«

»Seltsam, dass uns nichts Besseres einfällt. Alle denken dran und reden drüber und es fehlt ein guter Begriff«, sage ich. Dann fällt mir noch ein Wort dafür ein: »Eins werden.« Ich wiederhole das: »Eins werden.«

Gesa überlegt und meint: »Erst mal klingt's doof. Aber als du's zum zweiten Mal gesagt hast, hab ich mir ein Paar vorgestellt. Zwischen den zweien zündet es, wird 'ne heiße Sache. Sie kommen sich immer näher und näher. Schließlich ... Zack! Sie werden eins ... Ja, eins werden ist eigentlich nicht schlecht.«

»Aber erst mal klingt's wirklich gestelzt und altmodisch«, meine ich. »Man muss schon ziemlich lange überlegen, damit man's einigermaßen gut finden kann.«

Plötzlich habe ich noch eine Idee. Bevor ich die verrate, muss ich schon grinsen. Gesa sieht das und verlangt: »Los, Jos! Lass es raus!«

»Wie wär's mit ... Blaubeeren pflücken?« Einen Augenblick guckt mich Gesa irritiert an, dann versteht sie es. »Du meinst, weil ich erzählt hab, dass das Paar im Wald Blaubeeren pflücken war?«

»Ja«, antworte ich und Gesa hopst rum, kichert und freut sich: »Find ich gut ... Blaubeeren pflücken, wirklich stark. Das ist ein Privatausdruck, den nur wir verstehen.«

»Macht nichts«, meine ich. »Einen Ausdruck, den alle verstehen und der gut klingt, haben wir nicht gefunden.«

Gesa freut sich immer noch über das Blaubeerenpflücken. In der Zwischenzeit liegen außer uns nur noch die Leute von der Doppeldecke hier herum. Und auf der gegenüberliegenden Seite des Sees ist die Sonne vom Himmel in die Baumwipfel gerutscht, gibt jetzt weniger Licht und weniger Wärme.

Zwei Leute drüben haben ein Feuer angezündet. Die Mädchen ohne Bikinioberteil ziehen Blusen über und das Liebespaar ist aus dem Wasser gestiegen. Sie trocknen sich gegenseitig ab, zärtlich sieht das aus. Dann legen sie sich neben das Feuer.

»Die Blaubeerenpflücker mögen sich«, flüstert Gesa.

»Ich dich auch«, flüstere ich, rücke dicht zu ihr und wundere mich, dass ich nicht gesagt habe: Ich liebe dich.

Mir fällt ein, dass die beiden am Feuer das vielleicht genauso irre und schön erleben wie wir. Trotzdem kommt mir das zwischen uns so absolut einmalig vor.

Ein Junge schichtet Backsteine um das Feuer, die er unter einem Gebüsch vorgeholt hat. Aus dem Versteck zieht er auch einen Rost, den er übers Feuer und die Steine legt. Die haben gut vorgesorgt, sind garantiert öfter hier.

Gesa guckt zu dem Paar und fragt: »Ob die sich schon länger kennen?« Ich zucke mit den Schultern, dann fällt mir ein: »Ich glaub eigentlich schon. Die anderen lästern nicht über die beiden, sind also wahrscheinlich schon länger an sie gewöhnt.«

Gesa hat wieder Lust zu schwimmen und ich auch. Wir gehen zum See, spritzen uns nass und springen rein. Weil die

Luft kühler geworden ist, wirkt das Wasser wärmer als vorhin. Schnell schwimmen wir ein Stück raus, schwimmen dann ruhig immer weiter.

Ich tauche unter Gesa, küsse ihren Bauch. Jetzt lassen wir uns langsam sinken und umarmen uns dabei. Als wir auftauchen, sehen wir vor uns ein Schwanenpaar.

Gesa schwimmt zu mir, pustet mich an und sagt: »Hallo, Walross, mir wird kalt. Kommst du mit raus?«

Wir schwimmen ans Ufer. Als wir zu unseren Rucksäcken gehen, ruft ein Junge von der Doppeldecke: »He, ihr zwei! Wollt ihr ’ne Wurst?«

Wir nicken, dann gehen wir mit unserem Gemeinschaftstuch zum Feuer und den Leuten. Gut riecht es hier.

»Hallo«, sagt jemand, andere nicken uns zu. Wir setzen uns zu den Leuten und trocknen uns ab. Danach gibt der Junge Gesa eine Wurst, die er in ein Brötchen gelegt hat, und ich bekomme auch eine.

Würzig und saftig schmeckt die Wurst. Ein Mädchen gibt mir eine Flasche Bier. »Gute Idee«, sage ich und lass den Bügelverschluss aufspringen. Ich trinke einen Schluck und dann trinkt Gesa.

Wir essen und trinken mit den anderen. Jemand fragt, woher wir kommen. »Mit dem Zug aus Braunschweig«, antwortet Gesa. Und ich sage: »Wir sind hier ausgestiegen, weil uns die Gegend und der Ort gefallen.«

»Wir wohnen alle im Ort, leider ist hier absolut nix los«, klagt einer.

»Aber den See find ich klasse«, sagt die weibliche Hälfte vom Liebespaar. Nun reden mehrere durcheinander. Sie erzählen, warum sie es im Ort so öde finden, bis die männliche Hälfte vom Liebespaar fragt: »Wohin wollt ihr weiterfahren?«

Wir gucken uns an, zucken mit den Schultern. »Wissen wir noch nicht«, sagt Gesa und ich trinke wieder einen Schluck Bier.

»Kommt doch mit«, schlägt das Mädchen neben mir vor. »Wir feiern 'ne Fete bei mir. Meine Eltern sind im Urlaub.«

»Hast du Lust?«, fragt mich Gesa. Ich überlege und schüttle den Kopf. Zu Gesa sage ich leise: »Ich hab mir irgendwie vorgestellt, dass wir länger hier bleiben.«

»Ich eigentlich auch«, sagt Gesa leise und sagt laut zu den anderen: »Wir kommen nicht mit.«

Als die Würstchen gegessen sind, brechen die Leute langsam auf. Einer will das Feuer löschen und ich sage: »Lass es brennen. Wir machen's aus, wenn wir weggehen.«

Ein Mädchen sagt: »Ihr habt keine Decke, nehmt die hier. Später legt ihr sie mit den Steinen und dem Grillrost dort unter den Busch.«

Sie packen noch ein paar Sachen zusammen, die auf ihre Fahrräder und Mopeds kommen. Einer legt uns zum Abschied eine Flasche Bier auf die Decke. Im Weggehen klopft mir der männliche Teil vom Liebespaar auf die Schulter und sagt: »Macht's gut, ihr zwei.«

»Ihr auch«, sage ich. Die anderen rufen »tschüs«, einer klingelt, dann fahren sie weg.

Nun sind Gesa und ich alleine, toll finde ich das. Wir haben den See, unsere Rucksäcke, eine Decke, Feuer und uns.

Gesa rückt näher ans Feuer und sagt: »So ... und jetzt bleiben wir die ganze Nacht hier.«

Ich nicke, dann fällt mir ein: »Ich hab noch nie draußen übernachtet.«

»Ich schon«, sagt Gesa, »aber nur im Zelt und mit meinen Eltern.«

Hinter den Bäumen am Seeufer weit gegenüber hat sich die Sonne bis auf ein paar Strahlen verabschiedet. Sie lässt den dunkler werdenden Himmel und den dunkler werdenden See zurück, auf dem die zwei Schwäne immer heller aussehen.

Gesa und ich haben unsere Rucksäcke ans Feuer geholt, das freundlich vor sich hin knackt und uns warm anstrahlt. Ihre Hand liegt auf meinem Knie und sie sagt: »Wir können auch gut mit anderen zusammen sein wie eben. Das wussten wir bisher gar nicht, waren ja immer nur zu zweit. Also war das gerade so was wie 'ne Premiere.«

»Es ist fast alles 'ne Premiere, was wir miteinander tun«, sage ich. Mir fällt ein, wie stolz ich eben war, dass die anderen uns gesehen haben, mich mit dieser tollen Frau. Ich will Gesa das erzählen, als sie mich anstupst und verlangt: »Guck mich an.«

»Aber immer.«

»Du hast gesagt, dass fast alles, was wir zusammen tun, 'ne Premiere ist. Das stimmt wirklich nur fast, denn was jetzt kommt, ist in unserem Liebesfilm schon öfter gelaufen.«

Als Gesa die Unterlippe vor und gleichzeitig nach oben und links schiebt und ihre Oberlippe zurückzieht, weiß ich, was kommen soll. Aber die Szene versau ich ihr. Ich nehme Gesas Kopf zwischen die Hände und drücke meine Lippen auf ihre. Aus ist es mit dem Pusten. Meine Zunge schiebt sich zwischen ihre Lippen, streichelt ihre Zähne. Gesa klagt: »Die Kussszene ist auch schon 'ne Wiederholung, gibt nix Neues mehr zwischen uns.«

Mit einem Finger streichle ich Gesas Lippen. Sie pustet gegen den Finger, schiebt ihn weg und lächelt mich an. »Du hast schöne Zähne«, sage ich.

»Na endlich merkst du's. Bin ich auch irre stolz darauf. Keine Karies, nix … Und warum? Ganz klar, wir schlauen

Zahnarztfrauen benutzen Tag und Nacht Perlweiß für unsere Beißerchen.«

Gesa lässt sich zurückfallen, liegt neben mir. Ich streichle ihren Nabel, ihren Bauch, während sie sich auf die Ellenbogen stützt und mir zusieht. Dann zieht sie ihre Bikinihose ein kleines Stück runter, guckt sich unsere Knutschfleckfabrikation an. »Schönes Ding«, lobt sie. »Jetzt ist er schon ein bisschen grünlich und rot geworden. Du kriegst auch noch einen.«

»Au ja«, sage ich und schiebe mich auf Gesa. Sie macht die Arme breit und hält die Beine gerade. Genau so lege ich mich auf sie, mein Kopf direkt über ihrem. Gesa guckt an mir vorbei in den Himmel und sagt: »Du bist gar nicht so schwer, Jos. Bist zu ertragen.«

Mit einer Hand streichelt sie meinen Rücken, dann sagt sie: »Über uns fliegen Vögel. Die sehen fast aus wie wir eben, haben die Flügel ausgebreitet wie wir unsere Arme.«

»Gleich fliegen wir zu ihnen hoch«, sage ich. Dann ziehe ich meine Arme ein, streichle Gesas Gesicht, ihren Hals. Noch fester drücke ich mich an sie. Spüre Gesas Haut und Körper unter mir, bewege mich ein wenig, damit ich ihn stärker spüre. Spüre auch mich dadurch immer mehr.

Ich reibe meine Brust an ihrer, werde aufgeregter, erregter. Jetzt spüre ich, dass Gesa sich mit mir bewegt. Ich drücke sie an mich und mein Lustpegel steigt. Das Bewegen, das Berühren, das Spüren reißt mich immer tiefer in die Lust.

Da verlangt Gesa: »Stillhalten!« Ich kriege einen Schlag auf die Schulter und erschrecke etwas. Gesa grinst mich an und sagt: »Das musste sein. Eben wollte dich ein Biest stechen und das lasse ich nienicht und nimmermehr zu.«

Gesa rollt sich unter mir weg und sagt: »Du wirst mir doch zu schwer.«

Oh, schade, ich habe sie eben so irre gut und aufregend gespürt. Habe mich fast wie in ihr gefühlt, obwohl stellenweise noch etwas Stoff zwischen uns war.

Gesa legt sich näher ans Feuer, das in der Zwischenzeit neues Holz vertragen könnte. Also hole ich morsche Äste und Zweige und die Flammen fressen sich rein, werden heller und heller.

Gesa guckt um sich und sagt: »Ich kann's gar nicht glauben, dass wir hier die ganze Nacht bleiben. Weißt du, Jos, das ist unser riesiges Zimmer.« Sie zeigt zum Himmel, zum See, zum Strand.

Es wird immer dunkler um das Feuer. Nur der Sandstrand vor uns sieht noch einigermaßen hell aus. Und vom See hören wir Frösche quaken. »Alles ziemlich romantisch«, sagt Gesa. »Gefällt mir.«

»Passt also auch«, sage ich, »denn mir gefällt's genauso.«

»Streichle meinen Rücken warm«, verlangt Gesa. »Der fängt an zu frieren.« Eben merke ich das auch. Meine Vorderseite ist nah am Feuer und schön warm, aber die Rückseite wird kalt. Ich setze mich hinter Gesa und streichle ihren Rücken, bis meine Hände heiß gestreichelt sind.

»Hast mich gut gewärmt«, lobt Gesa. Sie dreht sich um, nimmt mich in die Arme und lässt sich mit mir rückwärts fallen. Dabei halten wir uns aneinander fest und rollen über die Decke und in den Sand.

Ich liege unter Gesa, spüre warmen Sand im Rücken. Gesas Hand schiebt sich zwischen uns und zu meinem Nabel. »Muss fühlen, ob der noch da ist«, sagt sie. Dann fragt sie: »Willst du jetzt deinen Knutschfleck?«

»Gleich«, antworte ich. Mit dem Oberkörper kommt Gesa etwas hoch, stützt sich dazu mit einer Hand auf den Boden.

Mit der anderen streichelt sie meine Brust und ich sehe ihre. Sehe diese schöne Form im glatten Bikinioberteil verpackt.

Meine Finger gleiten auf ihrer Haut bis zum Stoff über einer Brust, streicheln den. Dann schiebt sich die Hand unter den Stoff und umfasst die Brust. Gesa guckt und sagt: »Die passt gut in deine Hand.«

»Soll ich dir auch einen Knutschfleck auf die Brust machen?«, frage ich.

»Ja.« Gesa schiebt sich höher, damit ihre rechte Brust an meinem Mund liegt. »Das ist die kleinere«, sagt sie. »Sei lieb zu ihr.«

Ich ziehe den Stoff nach unten. Mensch, ist die Brust schön. Dann streichle ich die zarte weiße Haut, die Brustwarze. Küsse die Brust, beiße sie ein wenig und sauge mich daran fest, sauge immer mehr davon ein. Streichle Gesas andere Brust.

Ich möchte gar nicht mehr aufhören, habe das Gefühl, dass ich gleich platze. Sauge lange und immer tiefer. »Jetzt tut's etwas weh«, sagt Gesa schließlich. »Sie ist empfindlich.« Ich gucke mir die Stelle an. »O ja, wieder ein guter Knutschfleck«, sage ich.

Gesa guckt auch und ist zufrieden. Ich stupse gegen ihre Brustwarze. »Die ist eben wieder gewachsen«, sage ich.

»Die wächst immer, wenn's aufregend wird, zwar nicht so wie dein Schniedel, aber immerhin.«

Gesa hat Recht, der Schniedel hat sich wieder mächtig aufgeplustert. Das ist heute ein merkwürdiger Tag für ihn. Er ist sehr aktiv, regt sich andauernd auf und ab, wächst und schrumpft. Na, mal sehen, wie es für ihn weitergeht. Jedenfalls stört mich das Teil überhaupt nicht mehr. Vor ein paar Stunden war das noch anders. Inzwischen fühle ich mich durchs Erleben und Reden mit Gesa freier ... wie befreit.

Ich lasse mich nach hinten fallen, liege auf dem Rücken. Da beugt sich Gesa über mein Gesicht und sagt: »Fünfzehn zu eins.«

Eben merke ich, dass Gesa ihr Bikinioberteil ausgezogen hat. Sie sieht meinen Blick und sagt: »Wenn andere dabei sind, mag ich nicht so rumlaufen, aber jetzt schon.«

Ich gucke mir ihre Brüste genau an, berühre sie nicht, gucke nur. Natürlich ist der Knutschfleck nicht zu übersehen. Ich gucke mich fest und Gesa guckt dabei zu, hat nichts gegen diesen Blick. »Es ist wahnsinnig, dass es so was aufregend Schönes gibt. 'ne tolle Leistung der Natur. Und ich darf das berühren«, staune ich.

»Ja, darfst du, aber nicht zu fest, sonst tut's wieder weh.«

Mit zwei Fingern streichle ich über den Knutschfleck. Gesa flüstert: »Ich spüre deine Hände gern.« Ich streichle weiter, bis sie sagt: »Ich möchte noch mal schwimmen, bevor es völlig dunkel ist. 'ne Abkühlung wär nicht schlecht, ich krieg sonst noch die Krise, wenn wir die ganze Zeit aneinander rumfummeln.«

»Ist das nicht schön?«

»Doch, aber es ist so … daueraufregend und ich möcht mich abregen. Kommst du mit?«

Wir gehen Hand in Hand los. Ein leichter Luftstrom weht vom See zu uns. Dann stehe ich mit den Füßen im Wasser. Gesa zieht ihre Bikinihose aus und sagt: »Die brauch ich eigentlich nicht, ich schwimme gern nackt.«

»Ich auch«, sage ich. Schon ziehe ich meine Badehose runter. Wir gehen tiefer ins Wasser und ich gucke zur nackten Gesa neben mir. Ihr schlanker Körper sieht toll aus und beunruhigend aufregend.

Bis zu den Knien stehen wir im dunklen Wasser. Ich lege

einen Arm um Gesas Hüfte und wir drehen uns zueinander, umarmen uns. Gesas Hand liegt auf meinem Herz und sie sagt: »Uh … es pocht sehr.«

»Na logisch«, antworte ich und streichle ihren Rücken, ihren Po. »Du regst mich sehr auf.«

»Ich spür's. Aber du regst mich genauso auf.«

Gesa gibt mir einen Stoß und ich lass mich rückwärts ins Wasser plumpsen, das immer noch warm ist. Jetzt tauche ich neben Gesa auf, sie streift mit einer Hand über meinen Arm und schwimmt los. Dabei liegt sie flach auf dem dunklen Wasser, ich sehe ihren hellen Rücken und ihren Po.

So schnell ich kann, kraule ich zu ihr und zusammen schwimmen wir weiter. Irgendwo streife ich eine Pflanze, dann kommen wir in eine kühle Strömung. »Schnell durch!«, sagt Gesa.

Das Wasser wird wieder wärmer. Gesa schwimmt auf dem Rücken und ich lege mich genauso neben sie. Da sieht sie mein männliches Teil und lacht. »Wasser regt ab«, sagt sie, »wusste ich.«

Schließlich schwimmen wir langsam zurück. Am Ufer nehmen wir unsere Badehosen und gehen zum Feuer. Ich hocke mich davor, lasse mich erst von einer Seite wärmen, dann drehe ich mich um, damit auch die Rückseite warm wird.

Den Rest Feuchtigkeit trocknen wir uns gegenseitig mit unserem Handtuch ab. Erst trockne ich Gesa ja wirklich ab, vorne, hinten und rundherum. Nach kurzer Zeit streichle ich sie aber nur noch mit dem Handtuch, bis sie es mir wegzieht und mich abrubbelt.

Wir liegen am Feuer. Liegen auf der Seite und ein kleines Stück voneinander entfernt, sehen uns an. Gesa fühlt wieder meinen Herzschlag. »Der ist noch ziemlich schnell«, sagt sie.

»Klar. Das kommt aber nur vom Schwimmen.«

»Ach«, meint Gesa, »und ich dachte, ich reg dich auf und deswegen schlägt dein Herz so.«

»Kein bisschen.«

Gesa setzt sich neben mich und schüttelt ihre nassen Haare. Ich kann nicht anders, muss Gesa einfach berühren. Langsam streichle ich mit beiden Händen über ihren Körper, streichle diese glatte Haut, die durch das Feuer warm ist. Als ich Gesa an mich ziehen möchte, sagt sie: »Stopp, jetzt kriegst du deinen Knutschfleck.«

»Wohin?«, frage ich. Gesa tippt mit dem Finger auf die Stelle, wo sie ihren ersten bekommen hat, und sagt: »Den mach ich dir ganz unauffällig etwas unter den Rand der Badehose.«

»Hab keine an.« Gesa drückt mich nach hinten und ich liege auf dem Rücken. Dann streifen ihre Hände über meine Brust. Es sieht irre aus, wie sie nackt neben mir kniet. Natürlich möchte ich sie auch berühren, unbedingt, aber sie sagt: »Ich bin dran.«

Ich lasse die Arme fallen und ihre Hände streicheln meinen Bauch, erst leicht, dann fester. Damit feuert sie mein Herz wieder an, das wie wild schlägt, und irgendwer in mir verlangt: Streichle weiter, Gesa, nicht aufhören.

Die Augen habe ich geschlossen und spüre nur noch. Gesas Hände liegen auf meinem Bauch und jetzt fühle ich ihre Lippen. Sie küsst die Knutschstelle, küsst sie ganz zart. Saugt sich fest, streichelt mich weiter, beißt mich, saugt, küsst fester. Höllisch aufregend ist das. Und diese Aufregung steigert sich und steigert sich. Ich stehe voll unter Strom, den mir Gesa durch ihre Berührungen, ihr Küssen, ihr Saugen durch den Körper jagt, und die Hormone wirbeln.

Das wird ein irrer Knutschfleck, ganz sicher, denn Gesa hört nicht auf zu küssen, zu beißen und zu saugen. Außerdem dreht mein Teil gleich durch. Schon längst ist es wild entschlossen aufgesprungen – und wird von keiner Badehose mehr gebremst.

Wieder will ich Gesa umarmen, aber sie verlangt: »Lass doch und bleib einfach liegen.«

Ich versuche es und Gesa küsst. Plötzlich streicht sie mit einer Hand ganz leicht über mein Teil und das reckt sich völlig überrascht ihrer Hand entgegen, will wohl »Guten Tag« sagen. Diese Begrüßung reizt es noch mehr und Gesa streichelt wieder drüber.

Oh … ich platze gleich. Ich halte fast die Luft an, jeden Augenblick kann's passieren. Ich habe mich völlig in diese Lust reingesteigert, möchte schreien, höre aber nur ein Stöhnen. Dann höre ich auch das nicht mehr.

Die Spannung steigert sich noch mal, ist kaum zum Aushalten. Eine Spirale, in der ich immer höher gewirbelt werde, bis es nicht mehr höher geht. Und endlich platze ich vor Lust.

Mit geschlossenen Augen liege ich da. Alles ist von mir abgefallen und die Lust löst sich auf. Aber mein Herz rast noch.

Ich öffne die Augen. Wie versunken war ich, mit Gesa in Lust versunken. Jetzt bin ich fast überrascht, dass es dunkel ist. Sehe das Feuer und vor allem … ich sehe Gesa, die neben mir kniet.

Sie streichelt meinen Bauch. Dann beugt sie sich über mein Gesicht, strahlt mich an. Es ist wieder dieses Strahlen, das ich so mag. Gesa küsst mich auf den Mund und sagt: »Mensch, ist das aufregend.«

»Und für mich erst. Das war der totale Wahnsinn. Ich konnt mich einfach nicht mehr bremsen.«

»Musst du auch nicht.«

Endlich darf ich Gesa wieder an mich ziehen. Ich küsse ihr

Gesicht, reibe meine Wange an ihrer Schulter und sage: »Ein Gefühl ... zum Irrewerden.«

Wir liegen da, schmusen miteinander. Nach einiger Zeit sage ich: »Du, ich geh noch mal ins Wasser und wasch mich.«

Ich springe auf und renne los. Gesa rennt nackt neben mir, mag aber nicht mehr mit ins Wasser. Ich hechte rein und sie ruft: »Du willst ja nur noch mal abgetrocknet werden.«

Als wir wieder am Feuer sitzen, streift Gesa die Nässe zuerst mit ihren Händen von meinem Körper. Den Rest schafft das ziemlich feuchte Handtuch. Dann setzen wir uns Rücken an Rücken und hören dem Feuer zu, das leise knackt und prasselt. Irgendwann sagt Gesa: »Hab Hunger.«

»Auf Blaubeerenpflücken?«, frage ich. Gesa lacht und antwortet: »Nee, auf unsere Brötchen.« Ich ziehe die Rucksäcke ran, hole die Brötchen und die Cola raus. Ach ja ... eine Flasche Bier liegt auch noch auf der Decke.

Rücken an Rücken essen und trinken wir. Dann dreht sich Gesa zu mir. Sie sieht sich meinen Knutschfleck an und ist mit ihrer Leistung zufrieden.

Wenn eine Flamme höher brennt, leuchtet Gesas Haut plötzlich und glänzt rötlich. Ich gucke auf ihre Brüste, möchte sie küssen. Schnell verschränkt Gesa die Arme davor. »Als Schutz für dich«, sagt sie, »damit du dich nicht gleich wieder aufregst.«

»Das dauert jetzt bestimmt erst mal 'ne Zeit lang«, meine ich.

»Zeig mal«, fordert mich Gesa auf. Ich hebe meinen Arm etwas und sie sieht, dass mein Teil daliegt wie schlafend.

»Na ja, er ist halt müde«, sagt sie. Gesa stupst gegen ihn und meint: »Ein sehr wandlungsfähiger Kerl. Vom Riesen zum Zwerg in einer Minute.« Dann fragt sie plötzlich: »War das vorhin richtig schön für dich, Jos?«

»Ja, wir mögen dich, er und ich.« Jetzt frage ich: »War's für dich auch schön?«

»Ja, es war aufregend, sich so zu streicheln. Und mehr wollte ich gar nicht.« Etwas leiser sagt Gesa: »Ich weiß noch gar nicht genau, was ich wirklich mit dir will.«

Ich warte, ob sie mehr dazu sagen möchte. Aber sie tut das nicht und ich lege meinen Arm um ihre Schulter. Nun trinken wir das Bier Schluck für Schluck gemeinsam. Als die Flasche leer ist, sagt Gesa: »Ich glaub, wir sollten das Feuer irgendwann ausmachen. Sonst sieht man uns von überall. Vielleicht locken wir dann einen Spanner an, der genau wissen will, was wir tun.«

»Was tun wir denn?«, frage ich.

»Eben haben wir gegessen und getrunken. Vorhin hab ich dir einen Knutschfleck gemacht. Außerdem war Schmusen und Petting angesagt.«

»Petting ist auch so 'n doofes Wort«, sage ich.

»Okay, okay«, meint Gesa. »Ich glaub, wir müssen für all das 'ne neue Sprache erfinden. Blaubeerenpflücken war wohl nur der Anfang.«

Eigentlich hatte ich gedacht, wir würden hier am Feuer übernachten. Aber Gesa hat Recht, das ist keine gute Idee, und ich schlage vor: »Wir könnten ja da hinten unter den Büschen schlafen.«

Wir lassen das Feuer herunterbrennen, essen noch ein Brötchen und weil es kühler geworden ist, ziehen wir unsere Klamotten wieder an. Dann suchen wir einen Platz unter den Büschen.

»Bin gespannt, ob ich hier schlafen kann«, meint Gesa.

»Wenn nicht, erzählen wir uns was und streicheln uns«, sage ich.

Wir tasten den Boden unter einem Busch ab. »Da liegen jede Menge Steine«, sagt Gesa. Und wir merken auch, dass es hier Ameisen gibt. Ein Stück weiter finden wir dann unter tief hängenden Zweigen einen Platz für uns. Wir bringen die Decken und die Rucksäcke hin, danach werfen wir Sand ins Feuer, bis es ausgegangen ist.

Einen Augenblick setzen wir uns noch an die Feuerstelle und spüren einen Rest Wärme. Der See vor uns sieht unterm ziemlich dunklen Himmel mit seinen Sternenpunkten inzwischen fast schwarz aus. Im Mondlicht gehen wir dann zu unserem Schlafplatz.

Wir liegen auf der Decke. Die überhängenden Zweige des dichten Busches sind wie ein Vorhang, hinter dem wir uns verstecken.

»Hier findet uns niemand«, meint Gesa.

»Bestimmt nicht«, sage ich. »Und außerdem … wer sollte uns suchen?«

Ich liege vorne hinter unserem Zweigevorhang und Gesa liegt an meinem Rücken. Sie umarmt mich und flüstert: »Ist schön hier.« Ich spüre, wie sie die Decke ein Stück über sich zieht, und sage: »Nimm mir nicht alles davon weg.«

Gesas Hand wandert unter mein Hemd und auf meinen Rücken. Sie streichelt mich mit einem Finger und wir liegen ruhig da, bis ich plötzlich sage: »Wir haben wenig zum Anziehen mit, keine Isomatte, keine Decke, nichts, und das alles würde auch gar nicht in unsere kleinen Rucksäcke passen.«

»War genau richtig für einen Besuch bei der Verwandtschaft gepackt«, meint Gesa.

Ich gucke durch die Zweige ins Halbdunkel draußen und frage dann: »Willst du noch zu deiner Verwandtschaft?«

»Willst du's noch?«, fragt Gesa.

»Nee, eigentlich nicht.« Und ich denke: Mensch, Gesa, lass uns bis zum Ende der Ferien zusammen wegfahren.

»Ich könnte noch mal anrufen und sagen, dass ich nicht so schnell kommen werde«, schlägt Gesa vor.

»Könnte ich auch ... Tun wir's?«

»Ich glaub, das wär gut«, antwortet Gesa.

»Wollen wir morgen nach Hause fahren und uns die Sachen holen, die wir brauchen, wenn wir ein paar Tage länger wegbleiben?«, frage ich.

»Ein paar Tage ...«, wiederholt Gesa leise und küsst mich aufs Ohr. »Ja, das finde ich erst mal okay. Aber morgen mit dem Zug nach Hause fahren, wo wir doch gerade weggefahren sind, das gefällt mir nicht so. Das überleg ich mir.«

Oh, Gesa will länger mit mir zusammen sein. Finde ich irre gut. Dann breitet sich noch ein Gedanke in meinem Kopf aus: Vielleicht bleiben wir wirklich die ganzen Ferien zusammen und am Ende der Ferien könnte es eigentlich weitergehen mit uns.

Gesa liegt ruhig hinter mir, nicht mal ihr Streichelfinger auf meinem Rücken rührt sich. Schläft sie schon? »Es ist schön mit dir«, flüstere ich in die Dunkelheit.

»Ich find's auch ziemlich schön mit mir«, flüstert Gesa in mein Ohr und kichert. »Das hab ich dir übrigens schon mal gesagt.« Nach einer kurzen Pause kommt noch: »Ich mag uns. Wir wären wirklich total blöde, wenn jeder von uns morgen irgendwo anders hinfährt. Und sind wir blöde?«

»Nienicht und nimmermehr.«

»Na bitte.«

14

Gesa und Jos liegen am Waldrand und sind zum ersten Mal eine Nacht zusammen, erleben also schon wieder eine Premiere. Natürlich liegen sie hier nicht so weich wie im Bett und der harte Boden lässt sie immer wieder aufwachen. Außerdem wachen sie von nächtlichen Geräuschen auf. Frösche quaken, Enten werden laut, es knackt in der Nähe und sie erschrecken. Wind weht plötzlich durch Äste und Zweige.

Sie müssen mal ... und kein Klo weit und breit, dafür dunkler Wald. Also, eigentlich schlafen sie in dieser Nacht gar nicht viel.

Sie berühren den anderen ein wenig, wollen ihn nicht beim Schlafen stören, doch der ist selbst wach. Sie merken das, nehmen sich in die Arme und streicheln sich.

Einmal liegt Jos wach, Gesa schläft. Er guckt ihr ruhiges schönes Gesicht im Dreivierteldunkel unterm Busch an und freut sich riesig, dass sie da ist. Ein jubelndes Gefühl. Sie sind zusammen, jedenfalls für einige Tage. Er ist total verknallt, daran hat sich nichts geändert. Und er hofft, dass es ihr genauso geht oder wenigstens ähnlich.

Jos spürt seinen Körper wieder, spürt Lust und endlich empfindet er wieder stark. Er verträgt plötzlich Nähe und er verträgt sie nicht nur, er will sie.

Zu Hause hatte er manchmal in seinem Zimmer im Bett gelegen, hatte sich angeregt gefühlt durch das Bild einer mehr oder weniger nackten Frau, das er in einem Film oder einer Zeitschrift gesehen hatte. Dann wünschte er sich, dass eine Frau bei ihm wäre. Sie hätten nicht miteinander geredet. Es war auch eigentlich nicht der Wunsch nach einer wirklichen Frau, sondern der Wunsch nach Weiblichkeit und Sexualität. Bilder, Phantasien machten sich selbstständig, erregten ihn immer mehr und er befriedigte sich.

Es war ein trauriges Ersatzleben für ihn gewesen, immer auf Abstand bedacht, obwohl es Leute gab, die Nähe zu ihm suchten und das dann schnell aufgaben.

Jos hatte das Gefühl, unfreundlich und nicht liebenswert zu sein. Auch dieses Gefühl ist jetzt verschwunden.

Langsam staunen Gesa und Jos gar nicht mehr darüber, wie schnell sie sich näher gekommen sind. So war es halt. Sie haben in dieser kurzen Zeit vieles entdeckt, was sie am anderen mögen, und sind neugierig auf mehr. Inzwischen können sie auch über so ziemlich alles sprechen. Die Hemmungen, die es am Nachmittag gab, sind weggeredet, weggefühlt. Sie verstehen einander im wahrsten Sinn des Wortes. Sie können miteinander ernst sein und witzig und sie können sogar freundlich miteinander schweigen. Dass sie gerne miteinander schmusen, ist sowieso klar. Jeder mag den Körper des anderen, ist begeistert davon.

Natürlich sind sie zwei Personen, aber in manchen Augenblicken fühlen sie sich sehr eins.

Sie wissen noch nicht, wie sie Alltag zusammen erleben werden, ob sie zum Beispiel Langeweile miteinander ertragen, wie sie reagieren, wenn sie entdecken, dass Einstellungen und Meinungen beim anderen anders sind als die eigenen. Bisher haben sie noch nicht miteinander gestritten. Wie sehr werden sie sich durch einen Streit verletzt fühlen, wie lange hält das an, und können sie sich danach wieder vertragen?

Auf ihr Zusammensein sind sie neugierig und gespannt. Die Wünsche und Phantasien in ihren Köpfen wachsen weiter. Sie könnten sicher noch viel miteinander erleben, wenn nicht einer von ihnen plötzlich Abstand möchte und sagt: »Das war's, ich will nicht mehr.«

Aber warum sollte das jemand sagen? Es passt zwischen ihnen. Sie passen zusammen.

Am frühen Morgen wacht Jos unterm Busch am See auf, es ist fast hell. Er guckt Gesa an, die ihn anguckt. Sofort nehmen sie sich wieder in die Arme. Dann schwimmen sie noch mal. Als sie ihr letztes Brötchen teilen, sagt Gesa, dass es okay ist, wenn sie nach Hause fahren und holen, was sie für ihre Reise brauchen.

Die Decke und alles andere legen sie unter den Busch, dann nehmen sie ihre Rucksäcke und gehen in den Ort. Im kleinen Bahnhof lesen sie, dass der erste Zug in einer knappen Stunde fahren wird. Sie setzen sich auf eine Bank, reden, dösen und warten. Schließlich kommen Leute, die mit dem Zug zur Arbeit fahren wollen, und endlich fährt der Zug ein.

In Hannover steigen sie um und fahren noch knapp eine Stunde. Kurz nach halb neun kommen sie an. Die beiden gehen durch die Bahnhofsvorhalle, in der es schon wieder ziemlich voll ist. Plötzlich bleibt Jos stehen und sagt:

15

»Warte mal bitte hier.« Gesa ist erstaunt, zuckt mit den Schultern und bleibt mitten in der Bahnhofsvorhalle stehen. Ich gehe ein Stück weiter zu den Fahrplänen, dann drehe ich mich um und gucke zu Gesa.

Jetzt ist ihr klar, warum sie stehen bleiben sollte. Ungefähr an dieser Stelle stand sie nämlich auch, als wir uns gestern zum ersten Mal gesehen haben, und ich stand, wo ich eben stehe. Sie war der Lichtblick unter den Zwangsurlaubern, der meinen inneren Grauschleier schon gestern für einen Moment beiseite gezogen hatte.

So mittelgroß, mit braunen Haaren und Minipferdeschwanz steht sie da, verpackt in blauen Shorts und blauem T-Shirt, ihren Lederrucksack auf dem Rücken. Sie strahlt zu mir rüber, 'ne Glühlampe ist 'ne Dunkelkammer dagegen. Und meine Augen wollen sie gar nicht loslassen, umarmen sie aus der Entfernung.

Natürlich schiebt Gesa ihre Unterlippe vor, gleichzeitig nach oben und links. Ihre Oberlippe zieht sie etwas zurück. Dann pustet sie an ihrer Nase vorbei und schon fliegt eine Haarsträhne zur Seite.

Erst einen Tag ist es her, dass ich Gesa hier gesehen habe. Dieser Tag hat mich süchtig nach mehr Tagen mit ihr werden lassen und er hat mich ziemlich verändert.

Nun geht sie, aber nicht weg von mir und zum Zug wie gestern. Sie kommt auf mich zu, bleibt vor mir stehen und sagt: »Na du.« Wir umarmen uns, während Leute an uns vorbeigehen. Jemand schiebt uns mit seinem Koffer ein Stück beiseite und Gesa fragt laut: »Jos, wollen wir erst zu dir oder zu mir?«

»Wir losen«, schlage ich vor und hole ein Zehnpfennigstück aus der Tasche. Gesa sagt: »Zahl heißt, wir gehen zu mir. Wappen heißt, wir gehen zu dir. Du wohnst …«

»… im Erlenbruch, in der Nähe vom großen Kiessee draußen.«

»Also ziemlich am Ende der Welt«, meint Gesa.

Ich werfe die Münze hoch und fange sie auf der flachen Hand.

»Wappen«, sagt Gesa, »also fahren wir zu dir.«

Als wir losgehen, sehe ich an der Wand gegenüber einen Automaten. Ich zeige hin und sage: »Da gibt's Präservative.« Gesa lacht, denkt sicher genau wie ich an den Automaten an der Apotheke gestern und unser krampfiges Hinundhergedenke. Zielstrebig gehen wir zum Automaten, ohne darüber zu reden. Heute ist leicht, was gestern kompliziert war.

Wir stehen davor und ich hole ein Fünfmarkstück aus der Tasche. Gesa tippt auf ein Fach, über dem die farbigen Präser abgebildet sind, und ich werfe das Geldstück ein. Sie zieht die Schachtel raus, steckt sie mir in die Hosentasche und sagt: »Das ist die Ausrüstung fürs Blaubeerenpflücken. Hoffentlich reicht die.« Sie zieht eine zweite Packung und sagt: »Frau sollte Vorrat mithaben. Keine Ahnung, wie viel wir brauchen.«

Mensch, sie redet darüber, als wäre völlig klar, dass wir bald miteinander schlafen. Na ja, eigentlich ist es das wohl auch. Gesa legt ihre Hand in meine und wir gehen zur Straßenbahn, die uns gleich darauf durch die Stadt fährt.

Wir sehen eine Eisdiele, vor der Leute auf einer niedrigen Mauer sitzen. »Das Coletti«, sagt Gesa, »da geh ich gerne hin.«

»Ich auch«, sage ich. »Können wir mal zusammen machen.« Gesa nickt und wir gucken, ob wir einen Eisesser kennen. Aber bevor wir einen sichten, ist die Straßenbahn vorbeigerattert und wir fahren weiter bis zur Endhaltestelle, wo wir in den Bus umsteigen.

Wir reden wenig während der Fahrt, sitzen eng nebeneinander und Gesa hat ihre Hand wieder in meine gelegt. Ich drücke sie und streichle sie, bin ziemlich aufgeregt, denn Gesa wird gleich zum ersten Mal bei mir zu Hause sein.

»Jos«, sagt sie plötzlich, »wir haben keine Schule, haben Zeit und können machen, was wir wollen. Irre gut!«

Wir steigen aus dem Bus und ich überlege: Kann es sein, dass mein Vater zu Hause ist? Eigentlich unwahrscheinlich. Um diese Zeit arbeitet er. Aber ganz sicher ist man bei ihm nie. Jedenfalls möchte ich ihn nicht unbedingt treffen.

Wir gehen Hand in Hand die Straße runter, vorbei an Häusern und Feldern. »Da hinten ist der Kiessee, wo wir uns mal gesehen haben«, erzähle ich.

Eine Frau kommt uns entgegen, die im Haus nebenan wohnt. Sie lächelt, als sie mich sieht. Ihr Blick streift Gesa und sie sagt: »Hallo, Jos.«

»Hallo, Frau Köhlert«, sage ich und sie geht an uns vorbei, als wollte sie nicht stören. Dann öffne ich die Gartentür, Gesa bleibt stehen, guckt und sagt: »Hei, du wohnst in einem schönen Haus.«

Ich krame im Rucksack nach dem Schlüssel, schließe die Tür auf und wir sind bei mir zu Hause. Im Kühlschrank in der Küche sehen wir gleich mal nach, ob genug fürs Frühstück da ist. Ja, es wird reichen.

Ich lege meinen Arm um Gesas Taille und ziehe sie an mich. Unsere Lippen berühren sich ganz weich. Sie öffnet ihre und die Zungenspitzen spielen miteinander. Wir lehnen am Küchentisch, umarmen uns und sind in einen Dauerkuss abgetaucht. Als wir auftauchen, fragt Gesa: »Kann's sein, dass noch jemand im Haus ist?«

Wir horchen, dann schüttle ich den Kopf und sage: »Glaub ich nicht, aber ich guck mal.« Als ich losgehen will, sehe ich auf der Arbeitsplatte neben dem Herd einen Zettel, den mein Vater geschrieben hat, und darauf steht: »Lieber Jos, falls du vor mir zurückkommst, ich bin weggefahren, erst mal dienstlich, danach mache ich noch ein paar Tage Urlaub. Wahrscheinlich fahre ich an die Nordsee. Mal sehen. Tschüs.«

Das wäre also geklärt. Gesa hat mitgelesen. Sie steht hinter mir, umarmt mich und ich sage: »Du, wir beide verreisen, ich kann's kaum glauben. Wir sind total zusammen.«

»Mit dir bin ich das gerne«, sagt sie.

»So … und ich koch uns Kaffee und mach Frühstück«, schlage ich vor. Gesa setzt sich an den Küchentisch und sieht mir zu. Ein paar Scheiben abgepacktes Brot finde ich, Käse, Marmelade und Honig. Als ich das Kaffeepulver in die Maschine fülle, fragt Gesa: »Hat deine Mutter auch noch hier im Haus gewohnt?«

»Ja, klar … es ist vor acht … nee … neun Jahren … gebaut worden, eigentlich vor allem so, wie sie es wollte. Und was du im Garten draußen siehst, hat sie gepflanzt.«

»Sieht toll aus«, meint Gesa.

Ich decke den Frühstückstisch für uns, Gesa guckt in den Garten und fragt: »Wo ist deine Mutter eigentlich beerdigt?«

»Auf dem Friedhof im Ort. Wenn du willst, können wir mal hingehen.«

»Ja, wir besuchen sie. Klar.«

Ich stehe hinter Gesa, die dasitzt, lege meine Hände auf ihre Schulter und sage: »Ich glaub, sie hätte dich gemocht.«

»Deine Mutter?«

»Ja.«

»Und warum?«

»Weil sie Menschen wie dich mochte. Das weiß ich. Außerdem muss man dich einfach mögen.« Gesa legt ihren Kopf in den Nacken, guckt zu mir und sagt: »Wenn du meinst.«

Ich ziehe Gesa hoch. »Komm«, sage ich, »wir machen 'ne Hausführung.« Sie beißt noch schnell ein Stück Brot ab und schiebt mir einen Bissen in den Mund. »Wo ist eigentlich dein Zimmer?«, fragt sie kauend.

Ich deute nach oben, nehme Gesa an der Hand und wir rennen die Stufen rauf. Meine Zimmertür steht offen, Gesa guckt und meint: »Alles drin, was man so braucht.«

Ich setze mich aufs Sofa, das ich nachts immer zum Bett umbaue. Gesa setzt sich neben mich. Meinen Arm lege ich um ihre Schulter. Aber Gesa rückt ein Stück weg und sagt: »Du, ich möchte gerne erst mal duschen.«

Ich zeige ihr das Badezimmer gegenüber und hole Handtücher. Mensch, ich würde ja unheimlich gerne mit ihr duschen. Ich stehe vor Gesa, wünsche mir das und kann es nicht sagen. Da ist wieder eine Hemmschwelle in mir, liegt mir quer im Hals und lässt nichts raus. Aber plötzlich ist der Wunsch stärker als die Hemmschwelle, springt drüber und ich frage: »Wollen wir zusammen duschen?«

»Ja.« Gesa zieht ihr T-Shirt aus. Ich sehe ihre Brüste und berühre sie. »He, wir wollen duschen«, sagt Gesa und dann ziehen wir uns beide aus. Als wir nackt voreinander stehen, nehmen wir uns in die Arme, drücken uns aneinander und ich beiße in Gesas Schulter.

Sie geht einen Schritt zurück und guckt an mir runter. Ach, mein Teil spielt natürlich wieder Stehaufmännchen, ist sehr lebendig geworden und Gesa sagt: »Dem sieht man immer sofort an, was er denkt.«

Bevor sie ihm noch mehr ansehen kann, steigt Gesa in die Dusche. Ihr Körper ist braun bis auf die Stellen, die sonst vom Bikini bedeckt sind. Sie dreht das warme Wasser an. Ich stelle mich neben sie und das Wasser läuft über uns. Schön ist das.

Gesa nimmt die Seife und verlangt: »Dreh dich um.« Ich schließe die Augen und sie seift mich von Kopf bis Fuß ein, streichelt mich und seift und streichelt. Ich spüre Gesas Hände, die mich verrückt machen, die meinen Herzschlag in die Höhe treiben. Ich spüre ihre Nähe, die mich erregt. Und mit dieser Erregung wächst das Gefühl, dass ich sie spüren will, noch mehr spüren, näher spüren. Mit geschlossenen Augen umarme ich ihren nassen Körper, meine Hände wandern über ihren Rücken, streicheln ihren Po.

»Jetzt bin ich dran«, sagt Gesa.

Mit der einen Hand seife ich ihren Körper ein und befühle und streichle ihn mit der anderen. Nun hat Gesa die Augen geschlossen und meine sind offen. Streichelnd und seifend lasse ich keinen Zentimeter Haut aus. Glatt fühlt die sich an und schön und die Lust in mir steigt immer höher.

Plötzlich wird das Wasser ziemlich kalt. Ach, wir haben wohl den Warmwasservorrat verbraucht. Also flüchten wir aus der Dusche und trocknen uns gegenseitig ab. Dann setzen wir uns auf den Wannenrand, Gesa streift mir noch ein paar Tropfen vom Rücken.

Kühl ist es am Hintern. Gesa legt ihre Hand auf meinen Oberschenkel. Sie guckt ernst, überlegt wohl etwas, dann sagt sie: »Jos, ich fass es nicht ... ich glaub, ich hab einen neuen Freund.« Und sie zeigt auf mich.

»Und ich hab 'ne neue Freundin.«

»Wenn du magst, bin ich das.« Sie guckt mir in die Augen. Jetzt hebt sie ihre Hand von meinem Oberschenkel, schlägt leicht drauf und meint: »Ich glaub, das wird gut.«

Meine Aufregung hat sich etwas gelegt, der Lustpegel ist ein Stück gefallen. Das ist ein ständiges Auf und Ab, eine Achterbahnfahrt erotischer Gefühle, absolut spannend.

»Ich hol uns schnell 'ne Tafel Schokolade und 'ne Tasse Kaffee«, sage ich. »Das wird unser Vorfrühstück.« Ich laufe los. Als ich zurückkomme, sitzt Gesa noch genauso nackt, wie ich es bin, auf meinem Sofa. Ich sehe sie und freue mich. Das ist jedes Mal das Gleiche.

Die Schokolade und der Kaffee kommen auf den kleinen Tisch vor dem Sofa. »Guter Kellner«, lobt mich Gesa und ich lasse mich neben sie plumpsen. Ihre Haare sind noch nass und Gesa riecht gut. Ich schnüffle an ihrem Hals, sehe mir ihre Knutschflecken auf der Brust und unterm Bauchnabel an. »Die leuchten fast«, sage ich.

»Deiner auch«, sagt sie und streicht über meinen Knutschfleck. Gesa rückt ein Stück von mir weg, als wollte sie was sagen, was sie dann aber doch lieber für sich behält.

Schweigend sitzen wir in meinem Zimmer auf dem Sofa. In mir hat sich ein irres Gefühl ausgebreitet, ist zu einer Sehnsucht geworden, die zwar mal kurz beiseite geschoben wird, die aber sofort wieder aufflammt und die mich im Augenblick völlig ausfüllt. Und diese Sehnsucht will, dass ich einen Satz sage, der mein Herz vor Aufregung und Lust loshämmern lässt.

Ich sehe zu Gesa, die ruhig dasitzt, und dann drängt die Sehnsucht den Satz raus: »Gesa, wollen wir Blaubeeren pflücken?«

»Klar doch«, antwortet sie. »Übrigens wollte ich das eben auch fragen. Wir haben wohl manchmal dieselben Gedanken, aber diesmal warst du schneller.«

Jetzt passiert es also. Ich werd verrückt. Halt! Bevor ich das werde, hole ich schnell die Präser aus meiner Hosentasche. Dann legen wir uns ein Stück voneinander entfernt auf das Sofa.

Wir sehen uns an, ich streichle mit meinem Finger Gesas Gesicht und sie streichelt meines. Fast gleichzeitig bewegen sich unsere Hände über den Hals des anderen nach unten. Plötzlich bleibt Gesas Hand liegen und sie sagt: »Eigentlich wollten wir zusammen frühstücken. Na ja, können wir später auch noch.«

Sie nimmt die Präserschachtel und öffnet sie. Nun gibt sie mir eines der Dinger und ich reiße die Hülle auf. »Das ist ja schwarz«, prustet Gesa los. »Das wird sehr feierlich. Ein Staatsakt.«

»Oder 'ne Trauerfeier«, meine ich. Ich will das Präser über mein Teil ziehen, dabei sieht mir Gesa interessiert zu. Aber irgendwie klappt das nicht richtig, das traurige Ding sitzt zu weit oben, wie eine Mütze, die nicht passt.

Gesa hockt sich neben mich und versucht das Präser weiter nach unten zu zupfen und zu ziehen. Ich stöhne, denn das nervt, mein Lustpegel sinkt und damit schrumpft auch mein Teil.

Gesa meint: »Jos, wir müssen noch viel üben.« Wir legen uns hin und Gesa berührt mich wieder, streicht mit einer Hand über meinen Bauch. Ich streichle ihren Bauch und vergesse das halb sitzende Präser fast. Unsere Hände werden eifriger, die Erregung und die Lust kommen zurück wie mit einem Schlag, steigen blitzschnell.

Magnetisch zieht es mich zu Gesa. Wir hängen an einem Stromkreis. Wie aufgedreht bedecke ich ihr Gesicht und ihren ganzen Körper mit kleinen schnellen Küssen. Da spüre ich das Halbmastpräser plötzlich wieder. Ich streiche mit der Hand kräftig drüber und merke erstaunt: »Mensch, jetzt passt es.«

Gesa sagt nichts, hält die Augen geschlossen. Eine Hand fährt durch meine nassen Haare und verwuschelt sie noch mehr, bleibt auf meinem Nacken liegen. Die andere Hand streichelt meine Hüfte, meinen Po. Und ich drücke Gesa an mich. Gleichzeitig bremse ich mich, will mich nicht zu sehr aufregen, sonst brennen die Sicherungen sofort durch. Also … ruhig bleiben … na ja … so weit es geht. Aber ich spüre, das wird nichts, denn Gesa macht mich immer unruhiger, regt mich unheimlich auf. Diese verdammten Hormone.

Ich schiebe mich über Gesa und sie breitet die Arme aus wie gestern am See. Ich mache ihr das nach und meine Arme liegen auf ihren. Wieder liegen wir da, als würden wir fliegen. Liegen still, obwohl die Lust in mir hochkommt, mich immer fester packt und unruhiger macht.

Gesa öffnet die Augen, sieht mich an, strahlt. Ich sage leise und freue mich irrsinnig: »Komm mit, Gesa, wir fliegen los.«

»Zum Blaubeerenpflücken, klar doch«, flüstert Gesa. Sie bewegt ihre Arme etwas, als würde sie wirklich losfliegen. Das tut sie aber doch nicht, dafür legt sie ihre Arme fest um mich und wir drücken uns aneinander und bewegen uns langsam, als würden wir hier auf dem Sofa liegend zusammen tanzen. Und dann versinken wir miteinander und ineinander.

Die Deutsche Bibliothek – CIP-Einheitsaufnahme

Bröger, Achim:
Wahnsinnsgefühl / Achim Bröger. –
Stuttgart; Wien; Bern: Thienemann, 1997
ISBN 3 522 17122 5

Dieses Buch wurde nach den Regeln
der Rechtschreibreform gesetzt.

Umschlagillustration: Hubert Stadtmüller
Umschlagtypografie: Michael Kimmerle
Schrift: Stempel Garamond, Frutiger roman
Satz: KCS GmbH in Buchholz
Reproduktion: Repro Brüllmann in Stuttgart
Druck und Bindung: Friedrich Pustet in Regensburg

6 5 4 3 2 1 97 98 99 00 01